EDITORIAL UNILIT

CÓMO COMPARTIR SU FE CON CONFIANZA

Testificando
• *Sin* •
TEMOR

Prólogo por: BILLY GRAHAM

BILL BRIGHT

Publicado por
Editorial **Unilit**
Miami, Fl. 33172
Derechos reservados

Primera edición 1998

© 1993 por Bill Bright
Originalmente publicado en inglés con el título:
Witnessing Without Fear por Thomas Nelson Publishers

Traducido al español por: Héctor L. Leyva

Citas bíblicas tomadas de la Santa Biblia, revisión 1960
© Sociedades Bíblicas Unidas
Usada con permiso.

Producto 492326
ISBN 1-56063-920-2
Impreso en Colombia
Printed in Colombia

Contenido

Prefacio

Por el doctor Billy Graham

Este es un libro que yo hubiera deseado que el doctor Bill Bright escribiera hace varios años, porque si cada iglesia y cada cristiano pusieran en práctica diariamente estos métodos comprobados, podría transformarse por completo el acercamiento a la cristianización del mundo.

El doctor Bright y yo hemos sido amigos cercanos por cuarenta años. Como hermanos en la causa de Cristo, compartimos la profunda convicción de que el mundo está hoy en día más listo para recibir el evangelio de Jesucristo que nunca antes. Más hombres y mujeres de los que usted se imagina están listos a decir "sí" a Jesucristo, si tan sólo alguien les dice cómo. Yo creo que entre ellos estarán algunos miembros de su propia familia, tal vez un vecino o compañero de trabajo, o alguien que usted aun no conoce, a quien Dios traerá a su vida.

Sin embargo, hay dos obstáculos que detienen a muchos cristianos al compartir con otros acerca de Cristo de manera regular: el temor y la falta de conocimiento. En *Testificando Sin Temor*, el doctor Bright resuelve ambos problemas de manera efectiva, y le muestra cómo usted puede vencer el temor a compartir su fe con confianza.

Con un mundo tan listo para la cosecha, la comunidad cristiana no puede darse el lujo de sentarse y esperar a que los relativamente pocos ministros a tiempo completo de la Palabra, desarrollen solos esta tarea. El cumplimiento del gran mandamiento de Cristo de "ir al mundo y predicad el evangelio a toda criatura", es una responsabilidad que toda persona que llama a Jesucristo Señor y Salvador debe compartir.

El doctor Bright se ha entregado totalmente a ayudar a cumplir este gran mandamiento. Como presidente y fundador de la Cruzada Estudiantil y Profesional para Cristo, él junto con su equipo de coordinadores, han llevado a muchos miles de estudiantes, laicos, líderes de gobierno y otros de todos los diferentes niveles sociales a un encuentro personal con Cristo. Han llevado a cabo Institutos de Capacitación de Evangelismo alrededor de todo el mundo, ayudando a capacitar pastores y laicos en técnicas eficaces de cómo testificar. De las muchas excelentes organizaciones evangelísticas en la obra del Señor, pocas han sido tan efectivas en su alcance y capacitación de discipulado como la Cruzada Estudiantil y Profesional para Cristo.

En las páginas de este libro, usted descubrirá cómo Dios ha usado el obediente espíritu de un tímido y callado siervo de la fe para impactar las vidas de millones alrededor del mundo. Usted aprenderá las mismas técnicas para compartir a Cristo que han sido probadas ser tan efectivas a través de los años para el doctor Bright, sus coordinadores y las personas a quienes ellos han adiestrado.

Es para mí un privilegio recomendar *Testificando Sin Temor* para todo cristiano que quiere encontrar una mayor confianza y lograr mejores resultados al contarle a otros acerca de Jesús.

Agradecimientos

Las historias de Esteban y Juanita, Alfonso, Julia y Bernardo en el capítulo UNO han sido adaptadas de testimonios personales publicados en diferentes números de la revista *Wordwide Challenge*. "Bernardo" no es el nombre real del doctor.

La historia de cómo Vonette Bright recibió a Cristo con la doctora Henrietta Mears es tomado del libro *Ven, Ayúdanos a Cambiar el Mundo*, Here's Life Publishers, 1985.

La historia de cómo el senador Bill Armstrong recibió a Cristo es adaptada de su testimonio personal publicado en la revista *Worldwide Challenge* en febrero de 1977.

Todas las historias relatadas en *Testificando Sin Temor* son verdaderas, sin embargo, en la mayoría de los casos, los nombres han sido cambiados u omitidos por respeto a la privacidad de las personas referidas.

Estoy particularmente agradecido con Dan Benson por su desinteresada labor al ayudarme a organizar y escribir este libro. Su experiencia como ex editor de la revista *Worldwide Challenge* fue muy valiosa para comunicar el propósito central del ministerio de la Cruzada Estudiantil y Profesional para Cristo.

Introducción

¿Ha hablado usted con alguien acerca de Jesucristo durante la semana pasada?

¿Durante el mes pasado?

¿El año pasado?

¿Desde que es cristiano?

Por casi cuarenta años he estado ayudando a capacitar cristianos alrededor del mundo en cómo compartir más eficazmente su fe en Cristo. Al mismo tiempo que me siento animado por el gran número de cristianos que están comenzando a testificar de Cristo con confianza, nuestros estudios muestran que la gran mayoría de creyentes, quizás hasta 98%, no tienen confianza ni ven resultados en su testimonio personal.

Hay varias razones por las cuales los cristianos no testifican de Cristo, las cuales trataremos en este libro. La tragedia es que al no compartir su fe, el cristiano pierde una de las más grandes bendiciones que nuestro Señor ofrece: el profundo gozo de ayudar a otro ser humano a encontrar una nueva vida, abundante y eterna en Jesucristo.

La mayoría de los cristianos que he encontrado realmente quieren saben cómo dar una presentación clara y eficaz del evangelio, pero carecen de los conocimientos prácticos de cómo hacerlo. Si usted está entre éstos, he preparado este libro especialmente para usted, para ayudarle a aprender a compartir su fe con confianza.

Los principios que va a estudiar aquí han sido aprendidos en base a experiencias de primera mano en cursos de capacitación alrededor del mundo. Esto ha cambiado las vidas de multitudes de cristianos silenciosos acosados por culpabilidad y los ha convertido en testigos radiantes de nuestro Señor. Todas las historias que aparecen en este libro son verdaderas, aunque en la mayoría de los casos he cambiado o evitado usar los nombres de los protagonistas mencionados por respeto a su privacidad.

Si usted aplica los principios comprobados que presento en las siguientes páginas, usted también verá mejores y mayores resultados al evangelizar a su familia, amigos, vecinos, compañeros de trabajo y conocidos.

Estoy orando por usted, que como resultado de estudiar *Testificando Sin temor*, reciba una nueva confianza y gozo al contar a otros acerca de nuestro maravilloso Salvador, Jesucristo... y que Dios le permita llevar a muchos hombres y mujeres a Él.

Doctor Bill Bright
Presidente y Fundador
Cruzada Estudiantil y Profesional para Cristo

*Cristianos como usted, de todas las
esferas de la vida, están aprendiendo
cómo compartir su fe en Cristo de
manera eficaz.*

❧ **1** ❧

Usted puede testificar de Cristo con confianza

Si yo pudiera mostrarle cómo compartir su fe con éxito y confianza... sin ofender a los demás y sin convertirse en alguien que no quiere ser, ¿le interesaría?

El testificar de nuestro Señor es algo que todos sabemos que hemos de hacer. Todos los domingos por la mañana, desde el púlpito, escuchamos que "debemos esparcir la Palabra en nuestra comunidad". En nuestras revistas y libros cristianos leemos que nuestros vecinos están hambrientos del evangelio, es más, están muriendo sin Cristo. En la Palabra de Dios leemos la orden que Jesús mismo dio de "ir y predicar el evangelio a toda criatura..."

Sin embargo, el testificar de Cristo es una actividad que frecuentemente evitamos. El entrometerse en la vida de otra persona no sólo parece amenazador, sino abiertamente altanero. Tememos ofender a la otra persona, tememos ser rechazados, tememos no hacer un buen trabajo de representar a nuestro Señor y aun tememos ser etiquetado "fanático".

Así que permanecemos callados, y hacemos oración rogando que Dios quiera usar a alguien más para llevar Su mensaje a aquellos a nuestro alrededor que aún no le conocen.

Si usted también ha luchado con estos temores, ¡tengo buenas noticias para usted!

Los cristianos como usted, en todas las esferas de la vida, están aprendiendo a compartir su fe en Cristo de manera eficaz. Déjeme contarle de algunos de ellos.

"CASI ME PARECÍA DEMASIADO SENCILLO"

Esteban y Juanita se hicieron cristianos después de casarse. A medida que crecían en su fe, comenzaron a ver cambios positivos en varias áreas clave de sus vidas, pero un área que les frustraba era su falta de preparación para hablar con otras personas acerca de su relación con Jesucristo.

"Entonces, un amigo sugirió que asistiéramos a un Curso de Capacitación para Evangelizar, diseñado para cristianos que quieren ser más eficaces en compartir su fe", relata Esteban. "Juanita y yo pensamos, ¿qué tenemos que perder?"

En la capacitación, Esteban y Juanita aprendieron cómo testificar de Cristo usando una presentación muy sencilla del evangelio. "Casi me parecía demasiado sencillo", dice Esteban, "pero puesto que este método ha sido comprobado con éxito por muchos otros, decidimos usarlo".

Muy pronto, Juanita había llevado a una de sus vecinas a Cristo, y se estaba reuniendo regularmente con ella para un estudio bíblico de seguimiento y compañerismo. Poco tiempo después, Esteban había tenido el privilegio de llevar a su madre y al padre de Juanita al Señor. Ahora tienen confianza de hablarle de Cristo a amigos, conocidos por cuestiones de negocios y aun a personas que acaban de conocer. Han llevado a muchos otros a Cristo desde que recibieron esas pocas horas de capacitación en evangelismo básico.

DE TÍMIDOS INTROVERTIDOS A ATREVIDOS TESTIGOS

Alfonso, un guardián escolar en Florida, dice que ha sido introvertido la mayor parte de su vida. Sin embargo, hace tiempo, "el Señor hizo un milagro" al darle la confianza que necesitaba para contarle a otros acerca de Cristo.

"Yo prefería dejar que alguien más hiciera el trabajo de alcanzar a otros para Cristo", dice Alfonso. "Pero en 1980, mi iglesia organizó un curso de evangelismo al cual yo asistí. Uno de los hombres allí presentes, quien había visto mi fidelidad en ayudar con el programa de visitación de la iglesia, me pidió que fuera con él a una actividad evangelística en la cárcel.

"Fui, y allí conocí a un hombre con quien comencé a conversar. Le pregunté si le gustaría recibir a Cristo como su Salvador. Me dijo "sí" y ¡casi me voy de espaldas! Le expliqué el evangelio y él fue la primera persona que realmente recibía a Cristo conmigo".

Actualmente, Alfonso comparte su fe agresivamente, como parte natural de su vida y la gente responde. "Un fin de semana, la escuela donde trabajo realizó una actividad especial y habían ordenado comidas de pollo. A las 8 a.m. del viernes, llegó un camión con seis cajas llenas de pollo, al llevar al hombre que hacía la entrega hasta el refrigerador, sentí que el Señor me pedía que le preguntara: "¿Ha experimentado usted el gozo de conocer a Dios personalmente?"

"Él me dijo: 'no'. Así que le expliqué el evangelio, y quince minutos más tarde, de pie en el estacionamiento, invitó a Cristo a entrar en su vida. El Señor ya lo había preparado, era simplemente asunto de comenzar a hablar del tema".

Con tan sólo una mínima capacitación sobre cómo testificar de Cristo sin temor, Alfonso se transformó de ser una persona tímida e introvertida, a ser un testigo agresivo del Señor. Su testimonio ha sido muy eficaz, cientos de personas en Jacksonville han sido transformados como resultado de la nueva confianza que Alfonso tiene al testificar de Cristo.

COMPARTIENDO "LA COSA MÁS IMPORTANTE DE MI VIDA"

Julia, una ama de casa de Mineápolis, quería de alguna manera afectar su vecindario con el amor de Dios, pero se llenaba de temor cada vez que meditaba cómo hacerlo. Entonces Judit, una amiga cristiana que tenía experiencia en evangelismo personal, ofreció dar un café evangelístico en la casa de Julia.

Julia aceptó, pero estaba tan nerviosa, que hizo que Judit le prometiera que no haría otra cosa más que servir la comida. "No sé cómo tomarán esto mis vecinos," explicó nerviosamente Julia.

Después del café, cuando las invitadas se preparaban para salir, Julia alzó la voz para hablar. "¿Me permiten decir algo?", preguntó, con lágrimas de amor en sus ojos. "He vivido en este vecindario por cinco años, y siempre he soñado poder tenerles a todas en mi casa. También he soñado poder compartirles la cosa más importante de mi vida con ustedes, y esto es, mi relación con Jesucristo. Y, si no fuera por esta oportunidad, nunca lo hubiera hecho".

Mientras las lágrimas rodaban por las mejillas de Julia, las quince vecinas lloraban también. Ese día comenzó un ministerio permanente en las vidas de esas mujeres, cuando el Señor transformó a Julia de una incómoda observadora a una audaz comunicadora del amor de Dios.

CONFIÁNDOLE A DIOS LOS RESULTADOS

Burt, un cirujano de Wisconsin, enseñaba la clase de adultos de la escuela dominical, era consejero de drogadictos y había llevado varias personas al Señor. Asistió a un seminario cristiano para ejecutivos "muy seguro de mí mismo, esperando aconsejar a otros en lugar de ser ayudado".

Parte del seminario tenía que ver sobre cómo alcanzar a otros para Cristo a través de una presentación sencilla y directa del evangelio. Bernardo se propuso comenzar a hablar de Cristo con cada uno de sus pacientes, "aun si tan sólo les entrego un folleto que les explique el evangelio, con el comentario de que éste ha sido de mucha ayuda para mi vida. Recibí unas respuestas fenomenales".

Animado por su recién encontrada eficacia al testificar de Cristo, Bernardo decidió usar los mismos métodos en otra área. "También trabajo en el Centro de Adicciones de mi ciudad, aconsejando a los adictos a la heroína. Antes del seminario sólo obtenía resultados inconsistentes al presentar a Cristo como el único medio de sanidad. Estaba tratando de hacerlo en mis propias fuerzas y fracasaba miserablemente".

"Después del seminario, decidí presentar un mensaje sencillo del evangelio y confiarle a Dios los resultados. Cuando le pregunté a un joven si alguna vez había investigado las afirmaciones de Jesucristo, me dijo que había ido a la iglesia y rechazado todo lo que tenía que ver con religión. Sin embargo, cuando le pregunté si él personalmente había hecho alguna investigación, tuvo que decir que "no". Le compartí el evangelio, y oró conmigo, pidiendo a Cristo que entrara en su vida.

"Siguiendo mi sugerencia, consiguió una traducción moderna de la Biblia. Esto picó la curiosidad de su madre, y me vino a ver. Cuando le dije que su hijo se había hecho cristiano, las lágrimas rodaron por sus mejillas, y me dijo que esto era la respuesta a años de oración".

Bernardo nos dice que a partir del seminario, "estoy viendo resultados consistentes, pues las personas responden al amor de Dios a través del testimonio de lo que Él ha hecho en mi vida".

LLEVÓ A SU VECINA A CRISTO

Catalina, una joven que hace diseño gráfico de la ciudad de Denver, estaba visitando a su vecina cuando surgió en la conversación el tema de los valores personales. Catalina explicó que como cristiana, su sistema de valores estaba centrado en Jesucristo y en la Biblia.

"Yo me he preguntado sobre estas cosas", contestó Susana. "Pero nunca me han parecido reales. Mi única perspectiva del cristianismo ha sido la de los "fanáticos religiosos", pero tú no pareces encajar en ese molde".

Debido a que Catalina había recibido capacitación básica en evangelismo, pudo darle a su vecina una presentación sencilla, no amenazadora acerca de lo que se trata el cristianismo. Allí mismo, en el patio trasero de la casa de Catalina, Susana le pidió a Cristo que entrara a su vida. Ella y su esposo ahora asisten a una creciente iglesia del área y están activos en un grupo de estudio bíblico de parejas.

TESTIFICAR DE CRISTO NO ERA LO "NATURAL"

Como muchas de estas personas, nunca he encontrado que el testificar de Cristo me venga fácil y natural. Algunos de ustedes encontrarán esto difícil de creer, pero por naturaleza soy una persona tímida y reservada; iniciar conversaciones con extraños es difícil para mí. Aun el compartir la más grande noticia jamás anunciada, que "de tal manera amó Dios al mundo que dió a su Hijo unigénito para que todo aquel que en él crea, no se pierda mas tenga vida eterna", no siempre es tan fácil para mí como usted podría pensar.

Así que, parece incongruente que Dios llamó a un tímido joven hace cuarenta y seis años para lanzar un pequeño ministerio evangelístico en la universidad de California en Los Ángeles (UCLA), ministerio que se convertiría en la Cruzada Estudiantil y Profesional para Cristo Internacional. Testificar personalmente y adiestrar a profesionales, estudiantes y niños sobre cómo hablar de Cristo, es nuestro llamado principal. Ni siquiera sé si tengo el don espiritual de evangelista.

Lo que sí sé es que Dios me ha mostrado con toda claridad en Su Palabra que todo cristiano debe "ir y hacer discípulos a todas las naciones... enseñándoles todas las cosas que os he mandado..." (San Mateo 28:19,20). Yo he tratado de ser obediente a este mandamiento, y Dios ha honrado mi obediencia. Como las personas de las historias verdaderas que he compartido en estas páginas, Dios ha transformado mi testimonio personal de una tímida duda a uno de segura iniciativa.

Si Él lo puede hacer por mí, y por Esteban, Juanita, Alfonso Julia, Bernardo, Catalina y millones de otros que han aprendido los importantes principios de este libro, Él lo puede hacer también por ti.

Nunca más tendrá que sentirse atemorizado de ser avergonzado cuando testifique.

Nunca más le harán falta los pasajes bíblicos esenciales y las ideas claves para compartir con el oyente interesado.

Descubrirá que cada vez será más natural comenzar una conversación acerca de Jesús.

Aprenderá cómo manejar preguntas, distracciones y aun objeciones.

Aprenderá cómo dirigir a una persona hacia un compromiso definido con el Señor Jesucristo.

Aprenderá cómo ayudar al nuevo creyente a comenzar a crecer en su nuevo caminar con Dios.

Si a estas alturas usted está pensando que "esto tal vez funcione para otro, pero no para mí", no es el único. Hemos visto a miles de cristianos comenzar este adiestramiento totalmente convencidos que no era para ellos: era demasiado sencillo, ellos eran muy tímidos, o que "no conocíamos su situación". Sin embargo, salieron del adiestramiento en un espíritu de regocijo y gratitud porque Dios también había transformado su actitud de testificar, de la timidez a una confiada audacia.

Dios hará lo mismo con usted.

Estudie los principios de este libro con una mente abierta y dispuesta.

Mientras lee, pida a Dios constantemente que le muestre cómo aplicar estos principios a su propia situación.

Practique los conceptos que estudie con un amigo cristiano. (O, si Dios así le dirige, con un no cristiano. Hemos escuchado muchos testimonios cuando los cristianos han practicado estas ideas con amigos no cristianos, éstos han recibido a Cristo como Señor y Salvador allí mismo.)

Comience a aplicar diariamente lo que aprenda, tal como las personas mencionadas en este capítulo.

Estoy seguro que se sentirá emocionado con los resultados. Muy pronto, a pesar de cualquier duda o fracaso del pasado, usted se convertirá en un testigo más eficaz de nuestro Señor.

Pronto, muy pronto, usted estará testificando de Cristo sin temor.

*Cómo comencé a vencer mi timidez
para compartir a Cristo con mi familia
y amigos*

❖ **2** ❖

El punto de partida: Amor y obediencia

¿**P**or qué no vienes a la iglesia con nosotros?, me preguntaban los dueños de la casa donde yo vivía, prácticamente cada vez que los veía.

Durante mucho tiempo, yo sonreía y daba las gracias por su invitación a esta amorosa pareja de ancianos e inventaba cualquier excusa. Pocas veces había asistido a la iglesia desde que salí de mi casa para ir a la universidad, prefería pasar mis domingos produciendo un programa de radio para aficionados o montando a caballo en las colinas de Hollywood.

Había entrado en el mundo de negocios de Hollywood, California, en los años cuarentas. Y esta santa pareja, que deben haber tenido más de ochenta años, estaban tratando de alcanzarme probablemente de la única manera que sabían hacerlo.

No sospechaban que sus pequeños esfuerzos un día resultarían en mi decisión por Cristo. Veámoslo más detenidamente.

"SÓLO PARA MUJERES Y NIÑOS"

Mi madre era cristiana, pero mi padre no era creyente. Al ir creciendo en Coweta, Oklahoma, tratando de imitar la imagen de "macho" de mi padre y abuelo, creía que el cristianismo era para mujeres y niños, pero no para los hombres. Yo me había propuesto que, a pesar de mi naturaleza tímida, yo sería fuerte, independiente y capaz de lograr cualquier cosa que me propusiera.

Cuando me fui a la universidad me propuse llegar a ser el presidente de los estudiantes, editor del anuario universitario llamado *"Quién es Quién en los Colegios y Universidades Norteamericanas"* y graduarme como el "estudiante sobresaliente" de mi clase. En cuatro años había logrado cada una de mis metas. Era un agnóstico, no sabía si Dios existía y realmente ni me importaba el asunto. Yo creía que "un hombre puede hacer cualquier cosa que se proponga, por sus propios esfuerzos". Mi padre y abuelo habían modelado esa filosofía para mí y yo la había comprobado en la universidad.

Sin embargo, mis ambiciones no terminaban allí. Después de la universidad, fui nombrado profesor de la universidad estatal de Oklahoma. Puesto que había sido criado en el rancho, fui asignado a servir en el departamento de educación por extensión, donde aconsejaba a los agricultores y ganaderos sobre diferentes proyectos de agricultura y ganadería. Me pagaban mucho más de lo que realmente merecía, pero no era suficiente. Siendo un joven muy materialista, buscando probarme a mí mismo, quería mucho más.

HACIA LOS ÁNGELES

Tenía varias opciones de carreras delante de mí, pero la más atractiva era trasladarme a Los Ángeles donde, a través de una serie de eventos, terminé con un negocio propio en Hollywood. Allí fue donde conocí a esta linda pareja de viejecitos, dueños de la casa donde yo vivía.

¿Por qué no vienes a la iglesia con nosotros?", continuaban preguntándome. Vivíamos a pocas cuadras de la iglesia presbiteriana de Hollywood. Y esta amorosa pareja de blancos cabellos parecían disfrutar mucho asistiendo a los servicios.

"Tenemos un gran predicador llamado Louie Evans", insistían, "te encantará el doctor Evans".

Realmente no podía imaginar cómo un predicador me podría "encantar", pero Dios estaba usando a esta pareja, junto con las oraciones de mi madre para plantar una semilla. Un domingo por la tarde, regresaba de una tarde de cabalgar, oliendo como un caballo, cuando decidí entrar al servicio de la noche. Llegué después que había comenzado el programa, me senté yo solo en la banca de atrás, y salí antes que terminara el servicio para que nadie me viera o me oliera.

Por lo menos ya cumplí yendo a la iglesia. O por lo menos así lo creía.

Aparentemente, mis amigos habían dado mi nombre a alguien del departamento de universitarios de la iglesia. Pocos días después recibí una llamada de una joven con una atractiva invitación:

"Bill, vamos a tener una gran fiesta en (me dio el nombre del rancho de una famosa estrella de cine) y nos encantaría que vinieras. ¿Qué te parece?"

No pude pensar en ninguna excusa lo suficientemente rápido, así que terminé asistiendo. ¡Vaya sorpresa la que me llevé! En una de las galeras del rancho estaban reunidos trescientos de los más selectos estudiantes universitarios que yo jamás había visto. Se veían felices y se estaban divirtiendo, y obviamente amaban a Dios. En una sola noche, mi concepción de que el cristianismo era sólo para mujeres y niños, se vino abajo. Nunca había conocido personas como éstas.

Aunque estaba muy atareado construyendo mi negocio (una empresa de comidas "gourmet" llamada Confecciones Bright de California"), comencé a asistir a las reuniones del grupo universitario en la iglesia, además de los servicios regulares. Mi timidez no me permitía mezclarme mucho con los demás, y siempre me sentaba en la fila de atrás, pero siempre escuchaba lo que decían. Un día rescaté de una caja de libros mi Biblia, que casi no usaba, y comencé a leerla y estudiarla por mí mismo.

¿UN SOLO CAMINO A LA FELICIDAD?

A la iglesia asistían un buen número de hombres de negocios exitosos, incluyendo un prominente constructor que invitaba a pequeños grupos de jóvenes a comer carne asada en su casa y a nadar en su piscina. Durante uno de esos populares eventos, le preguntamos sobre su negocio y qué se sentía ser tan exitoso.

Su respuesta me sorprendió. "La felicidad no se encuentra en el éxito material", dijo con firmeza, "en esta ciudad hay muchas personas ricas que son las personas más infelices que ustedes puedan conocer. Conocer y servir a Jesucristo es lo más importante. Él es el único camino hacia la felicidad".

Recordé que ese mismo principio había sido demostrado en la vida de mi santa madre. Por alguna razón ella nunca lo expresó de manera que captara mi atención lo suficiente como para darme cuenta de mi necesidad de recibir a Cristo como mi Señor y Salvador, pero lo había vivido. Ahora yo estaba conociendo estudiantes universitarios, hombres y mujeres sobresalientes que estaban viviendo lo que mi mamá había vivido, pero además había aprendido a verbalizar su fe.

En un período de varios meses, me empezó a impresionar grandemente la elocuencia y la personalidad del doctor Louie Evans. Presentaba a Jesucristo y la vida cristiana de una manera tan atractiva como nunca antes lo había oído. Así que, para mantener mi integridad intelectual, me vi forzado a comenzar un estudio profundo de la vida de Jesús. Mientras más leía y estudiaba, más me convencía que Él era no sólo un personaje histórico, sino verdaderamente era el Hijo de Dios.

"¿QUIÉN ERES, SEÑOR?"

Un domingo en 1945, la doctora Henrietta C. Mears, directora de educación cristiana de la iglesia, habló a nuestro grupo de universitarios y adultos jóvenes acerca de la experiencia de conversión de Pablo en el camino a Damasco. Yo había leído el relato antes, pero la doctora Mears hizo que esa noche tomara vida para mí, mientras contaba de este ambicioso hombre que estaba comprometido a acabar con esa nueva herejía llamada cristianismo. Contó cómo Pablo (aún llamado Saulo) había caído de su caballo (algo que yo podía entender) y fue cegado por una brillante luz. Saulo entonces preguntó, "¿Quién eres, Señor? y ¿Qué quieres que yo haga?"

"Estas son las preguntas más importantes que le podemos hacer a Dios, aun hoy en día", nos dijo la doctora Mears. "Las personas más felices sobre la tierra son aquellas que están en el centro de la voluntad de Dios. Los más infelices son aquellos que no están haciendo la voluntad de Dios.

"Pablo se engañó a sí mismo pensando que hacía la voluntad de Dios persiguiendo a los cristianos. En realidad, estaba persiguiendo sus propias ambiciones. Así que Dios lo corrigió a través de esta dramática experiencia en el camino a Damasco".

Mientras la doctora Mears hablaba, no podía dejar de notar su sabiduría, su coraje y su amor. Era otra prueba que mi estereotipo de los cristianos estaba totalmente equivocado. Hablaba con autoridad, pero al mismo tiempo me daba cuenta que tenía un amor genuino para cada uno de los jóvenes y señoritas en la audiencia.

"No muchos de nosotros hemos tenido dramáticas experiencias de conversión como la de Pablo", continuó. "Pero las circunstancias realmente no importan. Lo que importa es tu respuesta a esas mismas preguntas, "¿Quién eres Señor? y, ¿Qué quieres que yo haga?"

Nos desafió a que al regresar a nuestras casa, nos arrodillásemos y le hiciéramos al Señor esa decisiva pregunta.

IMPULSADO POR EL AMOR

Al regresar esa noche a mi apartamento, me di cuenta que ya estaba listo a entregar mi vida al Señor. No tenía conciencia de ser un perdido porque vivía una vida ética, relativamente moral. No sentía tener una necesidad insatisfecha. (En realidad sí estaba perdido y tenía una gran necesidad, pero en ese tiempo no me había dado cuenta.) Lo que más me atrajo fue el amor de Dios, que se me había dado a conocer a través de mi estudio de la Biblia y a través de las vidas de las personas que había conocido en la Iglesia Presbiteriana de Hollywood.

Esa noche me arrodillé junto a mi cama e hice esas preguntas con la cuales la doctora Mears nos había desafiado: "¿Quién eres Señor? y ¿Qué quieres que yo haga?". En un sentido, esa fue mi oración de salvación. No fue muy teológicamente profunda, pero el Señor conocía mi corazón e interpretó lo que sucedía en mi interior. Por medio de mi estudio, había llegado al punto de creer que Jesucristo era el Hijo de Dios, que había muerto por mi pecado, y que, como había compartido la doctora Mears, si yo lo invitaba a mi vida a ser mi Señor y Salvador, Él entraría (Apocalipsis 3:20).

Aunque nada dramático o emocional sucedió al hacer mi oración, Jesús entró a mi vida. El hacerle las preguntas "¿Quién eres, Señor? y ¿Qué quieres que yo haga?" no me pareció muy dinámico al principio, pero al comenzar a crecer en mi nuevo compromiso y amor por el Señor, comencé a darme cuenta más y más de cuán pecador yo era y cuán maravilloso y perdonador es Él.

Más adelante, fui electo como presidente de la clase de jóvenes en la escuela bíblica dominical, y me reunía regularmente con la doctora Mears y con los otros encargados para orar juntos y discutir las profundas verdades de la Palabra de Dios. Aunque no lo sabía entonces, Dios estaba cultivando dentro de mí un deseo de compartir con otros la nueva vida que había descubierto en Cristo.

MI PRIMERA EXPERIENCIA AL TESTIFICAR

Dios nunca me ha quitado la timidez. Tal vez mi naturaleza reservada sea mi "aguijón en la carne", porque, según varios amigos me han dicho, la gente espera que el presidente y fundador de un ministerio evangelístico internacional tenga dones especiales de Dios que lo hagan extrovertido, sociable y un conversador natural.

Tal vez Dios sabía que si el testificar de Cristo pareciera fácil para mí, yo podría pensar que eran mis propias habilidades y no Su obra lo que atraía a las personas a su Reino. Por ello, tengo siempre que depender de Él, y esa es precisamente la manera en que Él quiere que vivamos, seamos tímidos o no.

Realmente tuve que depender de Él durante mi primera experiencia al testificar de Cristo, porque estaba aterrado. Fue a finales de 1945, y lo recuerdo como si hubiera sido esta mañana (me imagino que cuando tu adrenalina está bombeando con fuerza y tienes el corazón en la garganta, puedes recordar las cosas con mayor claridad).

Roberto era un joven hombre de negocios destacado que recién había comenzado a asistir a nuestra iglesia. Al irle conociendo más, sentí que el Señor quería que yo hablara con Roberto acerca de su salvación... pero no tenía ni idea qué decirle.

Tal vez pueda arreglar que el doctor Evans o la doctora Mears hablen con él, me decía a mí mismo, tratando de justificarme. *Ellos son buenos para esto. Lo más seguro es que yo me equivoque.*

Sin embargo, no podía quitarme esa incómoda sensación de que por alguna razón, Dios quería que yo, no el doctor Evans ni la doctora Mears, fuera el que lo hiciera. *Siento que él es muy astuto,* discutía conmigo mismo. *Me hará preguntas que no podré contestar. O me dirá que "no" y me sentiré avergonzado.*

¿No es sorprendente lo lógico que suenan nuestros argumentos cuando tratamos de justificar nuestra desobediencia?

En ese momento me parecían buenos argumentos. Algo me seguía recordando San Mateo 4:19, "Venid en pos de mí, y os haré pescadores de hombres". Me di cuenta que mi responsabilidad simplemente era seguir al Señor y obedecerle. Su responsabilidad es hacer la obra interior de cambiar los corazones humanos.

Dios también trajo a mi mente San Marcos 16:15,16: "Y les dijo: id por todo el mundo y predicad el evangelio a toda criatura. El que creyere y fuere bautizado, será salvo; mas el que no creyere, será condenado". Mientras más excusas buscaba y más discutía conmigo mismo, más me recordaba el Espíritu de Dios que el mandamiento de Jesucristo es justamente eso, un mandamiento. No es opcional. Si le amamos, le obedecemos.

Así que con la boca seca y el corazón latiendo fuertemente, hablé con Roberto acerca de invitar a Cristo a entrar a su vida. Sentados en su carro, a media cuadra de la entrada de la iglesia, le conté mi historia y le mostré algunos versículos que ponían en claro la necesidad del hombre de Dios y cómo podía recibir a Cristo como su Señor y Salvador personal.

Para mi sorpresa y satisfacción, Roberto estaba tan listo como cualquiera, tan maduro como una manzana roja. Allí mismo oró conmigo, pidiéndole al Señor que perdonara sus pecados y entrara a su vida.

Dios tenía un plan especial para él. Poco tiempo después de hacerse cristiano, renunció a su trabajo y entró a un seminario. Ha sido ministro cristiano por más de treinta y cinco años, ayudando a miles a confiar en Cristo y a crecer en su caminar con Él.

COMPARTIENDO A CRISTO CON MI PAPÁ

Esa primera experiencia ayudó a que mi fe creciera al punto que comencé a orar por mi padre. Mi papá nunca había asistido a la iglesia. Amaba y respetaba a mi madre, quien iba regularmente a la iglesia y llevaba a los niños con ella, pero nunca quiso tener nada que ver con la iglesia.

Amaba a mi padre y quería que se diera cuenta de lo que se estaba perdiendo. Así que en la primavera de 1946, manejé mi auto hasta Oklahoma para hablar con él.

"Papá, he descubierto algo que realmente ha cambiado mi vida", comencé, "y me gustaría contarte de qué se trata. ¿Te parece?"

Podía notar que había despertado su curiosidad, aunque con mucha cautela, me dijo, "claro... supongo que sí", me respondió.

Sentado en la sala de mi casa, me sentía nervioso. *¿Qué estará pensando en lo más profundo de su ser?*, me preguntaba. *¿Se molestará porque su hijo ha sido tan atrevido para hablarle de esto?*

Había estado orando durante varios meses por él, y ahora hice una rápida oración pidiendo ayuda. *Señor, ahora ya no tengo escapatoria. Ayúdame a hablarle a mi papá de Ti con exactitud y confianza, y ayuda a mi papá a estar listo para seguirte.*

"Papá, tú sabes que yo siempre he creído que la religión de mi mamá es apropiada para ella", comencé. "Y cómo la iglesia nos ha ayudado a elevar nuestros valores morales básicos, pero sin que hayamos hecho un compromiso personal."

Mi padre asintió, pero con cautela de hacia donde lo iba llevando. "Los dos trabajamos duro para llevarlos por el buen camino", me dijo.

"Y nos criaron bien", sonreí, "realmente aprecio tu amor y ejemplo".

Charlamos un poco acerca de mis años de juventud, y nos reímos de algunos momentos embarazosos. Había en la cara de mi padre una sonrisa cálida y reflexiva a medida que hablábamos. Luego hablamos acerca de mi negocio en California y los amigos que había conocido en la iglesia.

"Papá, he descubierto que es posible conocer a Dios personalmente", me atreví a decir. "Comencé a estudiar lo que la Biblia dice acerca de la relación del hombre con Dios. Dice que "de tal manera amó Dios al mundo, que ha dado a su Hijo unigénito, para que todo aquel que en Él cree, no se pierda, mas tenga vida eterna". Pero también dice: "por cuanto todos pecaron, y están destituidos de la gloria de Dios".

"Yo conozco esas cosas", dijo mi padre retorciéndose en su mullido sillón. "Ya las he oído antes".

"Yo también las había oído antes", afirmé. "Pero nunca había relacionado esos versículos con mi vida. A medida que los estudié, junto con otras partes de la Biblia, comencé a darme cuenta cuánto Dios me ama a mí y a ti. Envió a su Hijo Jesucristo a morir en la cruz por nuestros pecados".

"Siempre he vivido una vida limpia y buena", me dijo papá. Sus ojos se enfocaron en las cortinas, en el estante para libros, luego al suelo, pero no se volteaba a verme a mí. "Nunca he engañado a nadie en mi vida".

AMA, NO PREDIQUES

Mi padre estaba sacando lo que ahora he descubierto es una pantalla de humo muy común: "soy bueno y moral. ¿No es eso suficiente para llevarme al cielo?" Yo quería ser muy cuidadoso de que en ninguna manera él sintiera que yo estaba siendo malagradecido o que no le amaba suficiente. Es más, lo amaba tanto que apenas me podía contener las ganas de predicarle el mensaje de salvación estilo campaña evangelística. Sin embargo sabía que, al igual que con la mayoría de mis familiares y amigos cercanos, la mejor manera de hablar con mi padre era con una actitud amorosa.

"Papá, he descubierto que todo se reduce a una decisión personal, un compromiso de fe en Jesucristo".

Tomé mi Biblia de la mesa de centro, busqué Efesios 2:8,9 y la puse en una mesa a su lado.

"La Biblia dice: "porque por gracia sois salvos por medio de la fe; y esto no de vosotros, pues es don de Dios; no por obras, para que nadie se gloríe".

"La mayoría de las personas piensan como tú", le dije, "que lo único necesario para ir al cielo es llevar una vida buena. Sin embargo, la Palabra de Dios dice que no hemos cumplido Su norma moral. Es únicamente por Su gracia que podemos ser salvos, si le aceptamos a Él."

"¿Qué quieres decir con eso de aceptarle a Él?"

Lo llevé a Apocalipsis 3:20. "Cristo afirma: 'He aquí yo estoy a la puerta y llamo; si alguno oye mi voz y abre la puerta, entraré a él.' Así que, simplemente es cuestión de invitar a Cristo a tu vida. Eso es lo que yo hice, papá, y no te puedo describir el profundo gozo y paz que he experimentado desde entonces. Realmente he sentido el amor de Dios. Y él tiene ese mismo tipo de amor para ti".

Mi padre estudió sus zapatos, luego se sacó un imaginario hilo suelto cerca de la rodilla de sus pantalones. Parecía estar mucho más abierto al evangelio de lo que yo pensaba que estaría. Mi emoción crecía.

Estaba seguro que oraría conmigo allí mismo, tal como Roberto había hecho en su auto allá en Hollywood. Decidí que ya había dicho lo suficiente, las siguientes palabras tendrían que ser las suyas. Así que esperé, viéndole, tratando de guardar la calma, y orando silenciosamente mientras él meditaba.

Después de varios minutos, abrió su boca para hablar. Yo me incliné expectante hacia adelante.

"Necesito saber más, y tengo que pensar más sobre el asunto", me dijo con un suspiro. "Pero hijo, quiero agradecerte por hablar conmigo".

DEFRAUDADO, PERO ANIMADO

Mi padre no recibió a Cristo en ese viaje. Me sentí defraudado, pero al mismo tiempo animado porque lo encontré tan abierto. Continué orando por él durante la primavera y el verano, y puesto que había hecho arreglos para asistir al seminario Princeton en el semestre del otoño, escribí a casa anunciando que estaría en Coweta durante tres días en camino a Princeton, New Jersey.

Mi madre contestó que durante esa misma semana, la pequeña iglesia metodista del pueblo tendría un programa de servicios evangelísticos.

¿Sería esta la ocasión en que mi padre se entregaría a Cristo? Tenía un fuerte presentimiento, como si el Señor me lo estuviera confirmando, que esta campaña evangelística había llegado justo en el tiempo de Dios.

Mientras conducía mi auto sin detenerme desde California, sentía como la emoción crecía dentro de mí. El servicio comenzaba a las 7 p.m., y yo llegué a la casa a las 6 p.m.

"¿Van a ir a la iglesia?", les pregunté a mis padres, después de saludarlos.

"No habíamos pensado ir", respondió mi papá.

"¿Les gustaría ir con Vonette y conmigo?" (recientemente me había comprometido con Vonette Zachary, quien también era del mismo pueblo.) Por supuesto que mi madre quería ir. Volvió a ver a mi papá.

"Está bien, iré con ustedes", dijo.

El predicador de la campaña evangelística era un evangelista a la antigua. Predicaba con mucha energía, llamaba pecado al pecado y al diablo, diablo, e invitaba a los pecadores al frente de la iglesia en la invitación al altar. Sin embargo, ya tenía una semana de estar predicando sin ninguna respuesta. Ni una sola persona había pasado al frente para arrepentirse de sus pecados y recibir a Cristo como Señor y Salvador.

Esa noche iba por el mismo camino. "Yo siento que Dios se está moviendo aquí esta noche", imploraba, "y si usted aún no es salvo, Dios le está llamando a pasar al frente y entregar su vida a Él. Mientras entonamos el siguiente himno, acérquese al altar y entregue su vida a Cristo".

Mientras cantábamos, yo oraba por mi padre. Había dejado a mis padres en la iglesia y me había ido con toda prisa a recoger a Vonette y cuando llegamos, la iglesia ya estaba llena. Finalmente encontramos dos asientos al lado opuesto donde estaban mis padres. Ahora, mientras cantábamos el himno, yo los observaba con el rabo del ojo.

Fin de la primera estrofa. Nadie se había movido.

El predicador habló de nuevo. El sudor le brillaba en la frente: "¿tiene usted algún ser amado que no es creyente, por quien ha estado orando? Salga de su asiento, ponga su brazo en su hombro y tráigalo al altar".

A mí nunca me ha gustado usar ningún tipo de presión o coacción. Al principio me molesté por lo que el predicador estaba sugiriendo. Sin embargo, después de unos minutos, sentí que el Señor me estaba diciendo que fuera a hablar con mi papá.

Pero Señor, razoné, *la familia Bright es bien conocida en esta comunidad, y mi padre es un hombre muy orgulloso. Esto lo avergonzará, ¿realmente quieres que lo haga?*

Dios sabía que yo aún tenía la tendencia a dejar que la cobardía se apoderara de mí, así que antes que pudiera decir otra cosa me encontré dejando mi asiento y caminando hacia el otro lado de la iglesia hacia mi papá.

Puse mi brazo alrededor suyo. "Papá", le dije, "Ven conmigo al altar".

Vino conmigo y mi madre se nos unió.

En ese entonces yo no sabía lo que ahora sé, acerca de llevar a una persona a Cristo. Así que mi papá y yo nos arrodillamos en el altar y lloramos mientras el predicador dirigía a la congregación en otra estrofa del himno. Mi padre lloraba y yo también; yo le insistía a que le pidiera a Cristo que entrara en su corazón, pero no lo hizo. Jesús estaba tocando la puerta de su puerta, pero mi papá no sabía cómo abrirla.

Nadie más respondió a la invitación, así que el servicio terminó. Yo llevé a Vonette a su casa, y luego me fui rápidamente a mi casa para hablar con mi papá.

No me dijo mucho, y yo sabía que de nada me serviría presionarlo. Pero algo que dijo en esa breve conversación permanece conmigo hasta el día de hoy, aunque en ese momento no lo reconocí.

ESPERANDO EL "ROMPIMIENTO"

Mi papá había estado buscando una experiencia emocional. Su idea estereotipada de la conversión cristiana era de truenos y rayos del cielo o ser derribado del caballo como el apóstol Pablo. Como ninguna de estas cosas había sucedido en el altar, mi papá sentía que no se había dado ese "rompimiento".

La noche siguiente, sucedió de nuevo. Un emotivo sermón. El llamamiento hacia el altar. El predicador motivándonos a "poner nuestro brazo en el hombro de un ser amado para traerlo al altar". Mi larga caminata por la nave de la iglesia.

Mi papá y yo caminando hacia el altar, con mi madre junto a nosotros, al final arrodillándonos y llorando al frente de la iglesia.

Cuando nos arrodillamos, Vonette se nos unió. Esta vez mi padre invitó de todo corazón a Cristo a entrar en su vida. Pude ver en sus ojos un cambio visible, de complacencia a gozo. Luego dio gracias a Dios por entrar en su vida y comenzar el proceso de cambio.

Sin embargo, mi padre aún no terminaba. Se levantó y caminó de regreso hasta donde había estado sentado. Puso sus brazos alrededor de un joven y lo invitó a unirse a nosotros en el altar.

Ese joven era mi hermano, quien recién había regresado de la guerra en Europa. (Esa noche no pasó al frente, pero años después me aseguró que más tarde había recibido a Cristo como su Señor y Salvador.)

DISFRUTANDO LA ETERNIDAD CON EL SEÑOR

Mi padre fue un hombre distinto después de esa noche, vivió treinta y seis años más como hijo de Dios antes de ir al cielo a los noventa y tres años. Luego, toda mi familia llegó al Señor.

Cuando veo hacia atrás y recuerdo la manera como Dios me trajo a Su reino y comenzó a mostrarme cuán hambrientos están los hombres por conocerlo a Él, un pensamiento sobresale en mi mente: *Todo lo que necesité para comenzar mi acercamiento a Dios fue el amor e iniciativa de unas pocas personas amorosas.*

● Mi madre, quien oraba por mí todos los días.

● Una pareja de ancianitos que amaban al Señor y su iglesia. Probablemente no sabían cómo testificar, pero personificaron para mí el amor y me invitaron a ir a su iglesia con ellos.

● Una invitación a una fiesta en un establo. Un grupo de divertidos jóvenes y señoritas cristianas que me dieron la bienvenida con los brazos abiertos.

● Una anciana pero dinámica mujer llamada Henrietta C. Mears, cuyo amor por mí y cuyo conocimiento de la Escritura me hizo desear conocer también la Palabra de Dios.

● Varios hombres de negocio cristianos, quienes creían en trabajar dura y honradamente para obtener una ganancia legítima y ejemplificaron el principio que el éxito verdadero está solamente en conocer a Jesucristo.

● El doctor Louie Evans, pastor de la iglesia presbiteriana de Hollywood, cuyo estilo de vida consistente y su enseñanza y predicación inteligente de las Escrituras, me atrajo a la persona de Jesucristo.

Al recordar a estas personas y la influencia que tuvieron sobre mí, me doy cuenta que Dios nos ha llamado a cada uno de nosotros a personificar a Jesucristo a las personas con quienes tenemos contacto diario.

El amar a otros, mostrándoles a Jesucristo en palabra y acción, no es trabajo sólo para pastores y obreros cristianos. Esta es una gozosa tarea que Dios ha ordenado para todos aquellos que se llaman a sí mismos cristianos.

¿A quién te está llevando Dios hoy para que le muestres amor y le compartas el evangelio?

Lo más seguro es que estarás tan nervioso como lo estuve yo, cuando comiences a compartir tu fe. Esas primeras experiencias me mostraron que no tienes que esperar hasta sentirte un "experto". Con seguridad que no fue mi experiencia la que llevó a Roberto, a mi padre y más adelante a otros miembros de mi familia al Señor. Fue simplemente el hecho de que yo deseaba obedecer a Dios, quien me impulsaba a compartir mi fe con ellos. Al principio fue muy incómodo, pero Dios hizo Su voluntad a pesar de mí.

Las claves fueron, y aún son, amor y obediencia. A pesar de mis nervios y titubeos, Dios habló a esas personas. Tú puedes tener esa misma confianza: si buscas a las personas con amor genuino, Dios te usará, sin importar lo nervioso que te sientas.

RESUMEN

● Dios ha llamado a cada uno de nosotros a personificar a Cristo con las personas con quienes tenemos contacto diariamente.

●Personificar a Cristo es amar a los demás, tanto de palabra cómo de hecho.

●Debemos seguir a Jesús en obediencia a Sus mandamientos. Él espera que obedezcamos Su mandamiento de "ir por todo el mundo y predicar el evangelio a toda criatura". A medida que obedecemos, podemos confiar que Él hará la obra interior de transformar las vidas y corazones de las personas con quienes compartimos el evangelio.

● No importa qué tan inútil o nervioso te sientas, Dios usará tu testimonio para Su gloria cuando tomes la iniciativa, en amor, de compartir a Cristo con los demás.

PARA REFLEXIÓN Y ACCIÓN

1. Haga una lista de las personas con quienes tenga contacto frecuente: familiares, amigos, compañeros de trabajo, vecinos, etc.

2. Comience hoy mismo a orar diariamente por cada persona de su lista, que el Espíritu Santo prepare sus corazones para reconocer su necesidad de Cristo.

3. Durante los próximos 30 días, tome la iniciativa de compartir una acción especial de amor con cada persona de su lista. Una oportuna llamada telefónica, un oído listo a escuchar, unas galletas hechas en casa, una mano solícita, una invitación a comer, etc.

4. ¿Hay alguien en su lista a quien el Señor le está llevando a invitar a la iglesia o a un evento cristiano especial, tal como aquellos ancianitos dueños de la casa donde yo vivía, hicieron conmigo hace varias décadas?

5. Haga oración y manténte alerta para aprovechar esa apertura que te permita invitar a cada persona a recibir a Cristo. Aprenderá cómo hacerlo al continuar leyendo este libro.

*Cinco apremiantes razones por las cuales
los cristianos debemos testificar cómo
un estilo de vida*

❖ **3** ❖

Por qué no podemos permanecer callados

¿**A**lguna vez ha dudado usted en compartir el evangelio porque pensó que la otra persona simplemente no estaría interesada?

¿Alguna vez ha sentido que el Señor le dirige a testificar de Cristo a alguien, pero dentro de usted escucha una pequeña voz diciéndole: *"sólo vas a comenzar una discusión"*?

¿O alguna vez dejó de compartir su fe porque no sentía que tenía el don de evangelismo y es mejor dejar que los que tienen el "don" testifiquen?

Estas son emociones que muchos cristianos han sentido en alguna ocasión. Yo mismo he luchado con ellas. Sin embargo, durante más de cuarenta años de compartir de Cristo y adiestrar a otros a hacer lo mismo, no he podido encontrar ninguna razón bíblica para no testificar de Cristo. Es más, a partir de mis experiencias personales unidas a mi estudio de la Palabra de Dios, cinco conceptos claves se me han hecho muy claros, conceptos que afectan la vida de todos los cristianos.

1. Dios ha dado un mandamiento claro para todo cristiano.

El último mandamiento de Jesucristo para la comunidad de cristianos fue "Id por todo el mundo y predicad el evangelio a toda criatura" (San Marcos 16:15). Este mandamiento, que la iglesia llama la Gran Comisión, no era solamente para los once discípulos, o para los apóstoles o para aquellos que en el tiempo presente pueden tener el don de evangelismo.

Este mandamiento es un deber de cada hombre y mujer que confiesa a Cristo como Señor. No podemos escoger cual mandamiento del Señor vamos a obedecer. Harold Lindsell escribió en la *Biblia de Estudio Lindsell,* "la evangelización del mundo es la misión primordial de la iglesia".

2. Los hombres y las mujeres están perdidos sin Cristo.
Jesús dijo: "Yo soy el camino, y la verdad, y la vida; nadie viene al Padre, sino por mí" (San Juan 14:6) La Palabra de Dios también nos recuerda que "en ningún otro hay salvación; porque no hay otro nombre bajo el cielo, dado a los hombres, en que podamos ser salvos" (Hechos 4:12)

Cuando me dirigí a un grupo de varios cientos de estudiantes en un evento evangelístico en Minnesota, varios de ellos vinieron después de la charla a hacerme preguntas. Mientras hablaba con ellos, noté a un joven estudiante de la India muy molesto, caminando de arriba hacia abajo.

Cuando finalmente pude charlar con él, prácticamente explotó conmigo. "¡Me caen mal los cristianos!" exclamó con furia. "Son arrogantes, estrechos de mente y malintencionados. Yo soy hindú, yo creo que el cristianismo es un camino hacia Dios, pero ustedes los cristianos no están dispuestos a creer que mi religión es otro camino hacia Dios".

"Siento haberle ofendido", le dije disculpándome, "pero debo recordarle que la afirmación "yo soy el camino, y la verdad, y la vida; nadie viene al Padre, si no por mí" fue algo que Jesucristo dijo acerca de sí mismo. ¿Qué piensa usted acerca de Jesús?"

Pensó por un momento, y me dijo: "Tendría que decir que es el hombre más grande que jamás ha existido".

Descubrí que este joven estaba trabajando para obtener un doble doctorado en física y química. Mientras charlamos le expliqué más acerca de las afirmaciones que Jesucristo había hecho acerca de sí mismo, como había muerto por nuestro pecado y había resucitado, y como Su vida demostraba que en realidad El era el Hijo de Dios. Se aplacó bastante la ira de este joven estudiante.

"Ahora dígame," le pregunté: "¿Cree usted que el hombre más grande que jamás ha existido" mentiría acerca de sí mismo? ¿O cree que era un pobre lunático engañado que solamente creía ser el único camino hacia Dios?"

El joven académico comprendió la lógica de San Juan 14:6. Su agresividad cambió, como si la luz del sol hubiese penetrado a través de negras nubes de tempestad en su corazón. "¿Le gustaría recibir a Cristo como su Señor y Salvador?" le pregunté. "Sí, me gustaría", me contestó. "Ahora comprendo". Qué emocionante fue ver a este brillante y joven académico invitar a Jesucristo a su vida.

Los hombres y mujeres verdaderamente están perdidos sin Cristo. De acuerdo a la Palabra de Dios, Él es la única manera de cruzar el abismo entre Dios y el hombre. Sin Él, las personas no pueden conocer a Dios y no tienen esperanza alguna de vida eterna.

3. En lugar de "no estar interesados", las personas del mundo están verdaderamente hambrientas del evangelio.

Al principio de la década de los años 60, yo estaba a cargo de la fase estudiantil de la cruzada evangelística de Bob Pierce en Tokio. Habían aproximadamente 500.000 estudiantes universitarios en la ciudad, y yo, junto con otros coordinadores de la Cruzada Estudiantil y Profesional para Cristo, estábamos invitados para hablar en varias reuniones. Se me dijo que nunca había sucedido en Tokio algo así, de manera que subí al avión muy emocionado por la oportunidad de presentar a Cristo ante el mundo estudiantil japonés.

DEL ENTUSIASMO AL DESÁNIMO

Sin embargo, al llegar, mi entusiasmo se volvió desánimo. Recibimos la orientación inicial por un misionero que había estado trabajando en el Japón durante quince años.

"Los japoneses son diferentes", nos previno. "No reciben al Señor como lo hacen los americanos".

Continuó explicando que los japoneses pasan diez, quince, veinte años "buscando a Dios", antes de recibir a Cristo. Pasan todo este tiempo en clases bíblicas, estudiando diligentemente, absorbiendo toda la información sobre el cristianismo... convirtiendo la salvación en una búsqueda de toda la vida en lugar de un compromiso definitivo.

Regresé a mi habitación después de esa reunión, entristecido ante la posibilidad de una cruzada evangelística sin fruto. *Señor*, dije en oración: *¿Realmente me quieres aquí? Es decir, tengo tanto que hacer allá en los Estados Unidos, y si aquí las personas no están interesadas, tal vez otra persona podría hacer lo que yo estoy haciendo....*

A medida que seguía orando, sentí que llegaba una paz a mi atribulado corazón. La famosa frase de Pascal se me vino a la mente: "En el corazón del hombre existe un vacío con la forma de Dios, que no puede ser llenado por ninguna cosa creada, sino únicamente por Dios el creador, dado a conocer a través de Jesucristo". Era como si Dios mismo me estuviese asegurando que los japoneses tenían la misma hambre de Dios como todas las demás personas.

A la mañana siguiente di mi primera conferencia a un grupo de aproximadamente mil estudiantes. Durante una hora, presenté el evangelio y conté historias ilustrando cómo las vidas de muchas personas habían sido cambiadas por el poder del Cristo vivo.

Al final de la hora, dijo: "Vamos a tomar un descanso de cinco minutos. Si quisieran recibir a Cristo como su Señor y Salvador, permanezcan en su asiento. El resto están libres para irse sin ser apenados. Luego tomaré otra hora para explicar cómo pueden estar seguros que Cristo está en sus vidas y cómo pueden crecer espiritualmente".

La reunión había terminado, pero nadie se fue.

Así que hablé durante otra hora, explicando a la audiencia, punto por punto, el mensaje del evangelio. "En resumen", concluí: "hemos visto lo que la Biblia nos dice acerca de por qué debemos aceptar a Jesucristo como nuestro Salvador y Señor personal. Ustedes pueden invitar a Cristo a sus vidas esta mañana a través de una sencilla oración. Si estas palabras expresan el deseo de su corazón, oren conmigo en silencio, háganlo sinceramente".

"Señor Jesús, te necesito. Gracias por morir en la cruz por mis pecados. Te abro la puerta de mi vida y te recibo como mi Señor y Savaldor".

Pedí a los estudiantes que levantaran sus manos si habían hecho la oración. Casi todas las manos se alzaron.

EL FINAL DE UNA BÚSQUEDA DE TODA LA VIDA

Prácticamente corrí de regreso a mi hotel para ver al misionero que nos había dado la orientación. "La mayoría de los estudiantes recibieron a Cristo", le dije con entusiasmo.

"Bill, es que tú eres americano. No te quieren ofender", me dijo mi amigo misionero, lo más suavemente posible cuando le tiran a uno un balde de agua helada. "Debes saber que estas personas aprecian el trato benévolo que el General McCarthur tuvo para con los japoneses después de la guerra. Como tú eres americano, no quieren ofenderte; así que harán cualquier cosa que les pidas".

Una vez más, mi balón se desinfló. Así que al siguiente día, hicimos lo mismo. Hablé durante una hora, luego les hice una clara invitación para aquellos que deseaban recibir a Cristo. "Ahora, señoras y señores", concluí: "me han dicho que ustedes se quedan en estas reuniones por cortesía para conmigo, porque no me quieren ofender porque soy americano. Sin embargo, si ustedes han recibido a Cristo en sus vidas este día y saben con toda seguridad que Él está en su vida, por favor vengan al frente y díganmelo personalmente.

"Por favor no lo haga sólo por cortesía para conmigo. Tome mi mano y dígame la verdad en sus propias palabras. Yo quiero estar seguro".

Se formó una gran fila de personas. Tomé las manos de cientos esa mañana, pero lo más importante es que tuve la emoción de ver los rostros brillantes de estos jóvenes y señoritas que hoy habían concluido su búsqueda de toda la vida por la verdad espiritual.

Las personas realmente están hambrientas del evangelio. Jesús dijo: "¿No decís vosotros: Aún faltan cuatro meses para que llegue la siega? He aquí os digo: alzad vuestros ojos y mirad los campos, porque ya están blancos para la siega".

EN "LA CASA DE LAS MUJERES HERMOSAS"

Al poco tiempo que Vonette y yo comenzamos a trabajar con estudiantes universitarios en la Universidad de California en Los Ángeles (UCLA), teníamos que dar una charla en la sede de la sociedad Kappa Alpha Theta de esa universidad. En esos días, el periódico estudiantil y el gobierno estudiantil estaban controlados por los radicales de izquierda, debido al activo reclutamiento de los comunistas dentro de la universidad. Mientras me preparaba para mi conferencia, yo oraba que Dios rompiera este duro ambiente y que alcanzara por lo menos una o dos de estas señoritas.

Esta sociedad estudiantil se llamaba "la casa de las mujeres hermosas", y vaya que lo eran. Sesenta de ellas estaban reunidas en la sala para escuchar nuestra charla, y al terminar mi mensaje les dije: "Si ustedes quisieran conocer personalmente a Jesucristo, vengan conmigo y díganmelo personalmente".

Yo había orado por una o dos. Sin embargo, no menos de treinta de estas hermosas jóvenes universitarias formaron una línea para decirme que querían ser cristianas.

Puesto que esta era nuestra primera reunión de grupo donde tanta gente deseaba recibir a Cristo, no sabía qué hacer. Así que hice lo que todo buen hombre de negocio hace cuando no está seguro que hacer, convoqué a otra reunión.

"A Vonette y a mí nos gustaría invitarles a todas ustedes a nuestra casa mañana por la noche", anuncié. "Hablaremos más acerca de cómo ustedes pueden conocer a Cristo personalmente. ¿Les gustaría venir?"

Todas las señoritas aceptaron nuestra invitación, y la mayoría de ellas vinieron, algunas hasta trajeron a sus novios. Casi todas oraron con nosotros esa noche, rindiendo sus vidas a Cristo. De ese núcleo, nació el ministerio de la Cruzada Estudiantil y Profesional para Cristo, y se regó no sólo en toda la universidad UCLA, sino que a través de todo el país y el mundo.*

Estas inteligentes señoritas y sus novios estaban hambrientos de las buenas nuevas. Tan sólo estaban esperando que alguien les contara, que alguien les explicara cómo.

EN WASHINGTON D.C.

Hace algunos años, estaba por concluir una reunión con un grupo de ejecutivos cuando uno de ellos se me acercó y me dijo: "Bill, la próxima vez que vengas a Washington, ¿podrías ver a mi senador? Creo que necesita de Cristo".

La pregunta me sorprendió. "¿No cree usted que sería presuntuoso, querer ver a un senador, sin cita previa, para hablarle del Señor?"

"Dígale que yo lo mandé", me dijo riéndose mi amigo ejecutivo, porque sabía que este senador probablemente ni le conocía.

Varios meses después, yo estaba en el edificio de oficinas de los senadores en Washington donde yo me reunía a orar con otros dos senadores. Al ir caminando por el pasillo, vi el nombre del senador a quien mi amigo me había referido.

A estas alturas, yo ya había aprendido a no discutir con el Señor. El hombre natural dentro de mí hubiera dicho, *¿Quién crees que eres? Molestando al senador, y lo más seguro es*

---

* Para leer la historia completa de la Cruzada Estudiantil y Profesional para Cristo lea "Venga, ayude a cambiar al mundo" de Publicaciones "Here's Life", 1985 y "Revolución inmediata", enero 1973.

que ni siquiera está interesado. Sin embargo, a través de los años, el Señor me había enseñado a estar preparado al momento que Él me diera las más originales oportunidades de testificar de Cristo, a veces en las circunstancias más extrañas. También sé que Él no espera elocuencia sino obediencia.

Así que, con una rápida oración pidiendo la guía de Dios, entré en la oficina del senador.

"¿Le puedo ayudar en algo?", me preguntó la recepcionista.

"Buenos días. Mi nombre es Bill Bright y me gustaría hablar con el senador", le dije.

"Déjeme ver", me dijo al levantarse de su escritorio desapareciendo por una puerta hacia la parte de atrás de la oficina.

En menos de un minuto, estaba de regreso. "Con gusto le recibirá ahora mismo", me reportó.

En la mayoría de las circunstancias lo mejor es tomar un poco de tiempo para conversar y establecer una buena relación de amistad con la persona con quien estás compartiendo de Cristo. Sin embargo, como yo me había presentado sin cita, quería respetar las limitaciones de tiempo del senador. Me fui directo al grano.

"Es un honor conocerle, Señor senador", le saludé mientras nos dábamos la mano. "Soy Bill Bright".

"Bill, me da gusto conocerle", me sonrió el senador. "Siéntese. ¿Cómo le va en su visita a Washington?"

"Me está yendo bien Soy el presidente de la Cruzada Estudiantil y Profesional para Cristo, y estoy aquí para reunirme con varios líderes gubernamentales que se han comprometido con Jesucristo. Señor senador, ¿Es usted cristiano?"

Esa pregunta, *¿Es usted cristiano?* podría parecer muy abusiva o atrevida. Sin embargo, he descubierto que si yo cubro una oportunidad con oración y si me aseguro que Dios está en el trono de mi vida y que estoy buscando a los demás con un amor genuino, en el poder del Espíritu Santo, la persona con quien estoy compartiendo invariablemente responde a esta pregunta sin ofenderse. Es exactamente lo que sucedió con este ocupado senador.

"No sé, me imagino que sí", me respondió dudoso. Hablaba en tono suave, y se movió hacia adelante en su silla interesado en escuchar más. Su mirada firme y penetrante se fijó en la mía. "Si muriera usted esta noche, ¿Estaría completamente seguro de ir al cielo?", le pregunté.

Bajó su mirada hacia el escritorio. "No", me dijo, "no estoy seguro".

"¿Le gustaría que le dijera cómo estar seguro?, le pregunté.

"Claro que sí", contestó.

Le hice una breve presentación del evangelio, y este senador abrió su corazón a Cristo.

NO SEAS EGOÍSTA CON LAS BUENAS NUEVAS

Ciertamente extensos campos que representan almas humanas están madurando a nuestro alrededor y están listos para la cosecha. Debemos reconocer que alguno de nuestros familiares, vecinos, compañero de trabajo o alguna persona que recién hemos conocido, está interesado en las buenas noticias que tenemos para compartir. Quizá él está atravesando por circunstancias que han preparado su corazón para recibir a Cristo. Dios bien puede haberle llevado a darse cuenta de su necesidad de la verdad. Tal vez se ha sentido muy solo o con mucha necesidad de ser amado.

¿Podemos darnos el lujo de ser egoístas con el evangelio, cuando existe una evidencia abrumadora de que la mayoría de las personas tienen hambre de Dios? Como Cristo dijo: "los campos están listos para la siega".

4. Los cristianos poseemos el mejor regalo disponible a la humanidad, las mejores noticias que se hayan anunciado.

¡Cristo ha resucitado! Servimos a un Salvador vivo, quien no solamente vive dentro de nosotros con todo el poder de su resurrección, sino que también nos ha asegurado la vida eterna. Murió en la cruz por nuestros pecados, luego resucitó de entre los muertos. Tenemos comunión directa con Dios a través de Jesucristo. Esta comunión, esta paz, este regalo de la vida eterna, está disponible para todo aquel que le recibe.

¿Por qué dudamos tanto al compartir estas buenas noticias? ¿Por qué es que con tanta facilidad discutimos nuestras opiniones políticas, nuestras opiniones deportivas, nuestro kilometraje, las cuentas pendientes, los problemas con los hijos o los chismes de la oficina, pero nos quedamos callados cuando es el momento de hablar sobre la más grande noticia que se haya anunciado?

NUESTRO MENSAJE NÙMERO UNO

Si nuestra fe en Cristo realmente significa tanto para nosotros como debe ser, entonces es lógico que nuestra fe debería ser el mensaje número uno en nuestros labios. La gente quiere escuchar buenas noticias. Cuando las anuncias de manera adecuada y con amor, normalmente verás una respuesta positiva.

Hace varios años, un grupo de jóvenes cristianos cantaban villancicos navideños en Hollywood y Beverly Hills. Habían llamado haciendo cita para cantar en varias casas de algunas estrellas famosas de cine y televisión. Después de cantar dejaban una carta que yo había escrito acerca de Jesús y cómo podemos conocerle personalmente.

Un actor, bien conocido por sus papeles estelares en dos largas series familiares de televisión, se mostró particularmente agradecido con los cantantes. Al día siguiente llamó al líder del grupo.

"He leído esta carta una docena de veces", dijo casi gritando en el teléfono. "Nunca había escuchado algo tan maravilloso. ¿Podría conocer al Señor Bright?"

El líder del grupo hizo llegar a mi oficina el mensaje, y yo llamé a aquel hombre.

"Señor Bright..."

"Por favor llámeme Bill", le interrumpí. "He visto tantas veces su programa que casi siento que le conozco".

"Bill, sé que ha de estar muy ocupado", se disculpó. Podía percibir un sentido de incómoda determinación en su voz. "Realmente tengo que verle personalmente. No quiero ser molestia, pero ¿podría tomar unos minutos para hablar conmigo?"

Acordamos encontrarnos en mi casa. Después de desdoblarse y salir de su costoso auto antiguo, de un salto subió las gradas para saludarme con un firme apretón de manos y su conocida sonrisa.

"He estado leyendo su carta y ha sido de mucho significado para mí", comenzó, después de haber platicado un rato acompañados de un vaso de té helado. "He sido miembro de la directiva de mi iglesia por años, pero nunca he leído nada como su carta. No tengo una relación personal con Cristo y quisiera que usted me ayudara".

Hablamos brevemente sobre el contenido de la carta, pero no necesitaba convencerse más. Estaba listo. Nos arrodillamos en el sofá de la sala y procedió a hacer la más maravillosa y conmovedora oración de salvación que yo hubiera escuchado. Luego, al ponernos de pie, me dio un abrazo tan fuerte que casi rompe mis costillas. Salió de mi casa como un niño feliz en Navidad.

La Escritura presenta las buenas noticias de una manera tan clara:

●"Mas a todos los que le recibieron, a los que creen en su nombre, les dio potestad de ser hechos hijos de Dios". (San Juan 1:12)

●"Porque de tal manera amó Dios al mundo, que ha dado a su Hijo unigénito, para que todo aquel que en él cree, no se pierda, mas tenga vida eterna". (San Juan 3:16)

●"El cual nos ha liberado de la potestad de las tinieblas, y trasladado al reino de su amado Hijo, en quien tenemos redención por su sangre, el perdón de pecados". (Colosenses 1:13-14)

5. El amor de Cristo hacia nosotros, y nuestro amor hacia Él, nos impulsa a compartirlo con otros.

Jesús dijo: "El que tiene mis mandamientos, y los guarda, ese es el que me ama". (San Juan 14:21). En otras palabras, Cristo mide nuestro amor hacia Él por la fidelidad y la perseverancia de nuestra obediencia. A medida que le obedecemos, Él ha prometido manifestarse a nosotros, "...y el que me ama, será amado por mi Padre, y yo le amaré, y me manifestaré a él". (San Juan 14:21).

¿Qué cosas debemos obedecer? Cuando se trata de testificar de Cristo, tenemos Su mandamiento específico: "Id por todo el mundo y predicad el evangelio a toda criatura". Ayudar en el cumplimiento de la Gran Comisión es tanto un deber como un privilegio. Testificamos porque amamos a Cristo. Testificamos porque Él nos ama. Testificamos porque queremos honrarle y obedecerle. Testificamos porque Él nos da un amor especial hacia los demás.

¿HAY ALGO MÁS IMPORTANTE?

Como un complemento a este mandamiento tan específico, también somos llamados a ser obedientes a la guía diaria de Dios a medida que Él nos pone en contacto con personas de diferentes trasfondos. Todos hemos sentido esa emoción tan especial, ese susurro allá en lo más profundo que nos dice: *háblale a esta persona sobre Jesucristo.* Sin embargo, por una u otra razón (el temor, nuestros horarios apretados, o el no saber qué decir) somos tentados a ignorar este susurro y proceder con las "cosas más importantes".

Un día de otoño, estaba yo tan apurado por hacer algo "más importante", que casi pierdo una verdadera bendición que ya Dios me tenía preparada. Iba de camino a hablar a un grupo de estudiantes cristianos en Forest Home, un hermoso centro de conferencias en las montañas de San Bernardino. El camino cuesta arriba era un poco duro para mi carro y el radiador comenzó a hervir. Me salí de la calle a la entrada privada de una casa rústica pero agradable, que resultó ser la casa de un hombre que trabajaba en el servicio forestal.

"¿Le puedo ayudar en algo?", me preguntó sonriendo mientras se dirigía hacia mi carro. Con una manguera de jardín llenó mi radiador, y conversamos un rato mientras el motor se enfriaba. De reojo, robé unas miradas nerviosas a mi reloj.

Mientras platicábamos, el tapón de mi radiador se había caído al suelo, y al agacharme a recogerlo, mi Nuevo Testamento se me cayó del bolsillo. Rápidamente lo recogí y lo guardé de nuevo en mi bolsillo, puse el tapón en el radiador, cerré con fuerza el capó del auto y apresuradamente me metí al carro.

"¡Gracias por el agua!", le grité mientras salía rápidamente de la entrada. *Tal vez alcance a llegar a tiempo, pensé.*

Casi inmediatamente, una inquietante sensación me abrumó. El Señor me estaba diciendo: *yo quería que hablaras con él acerca de mí.*

Me estaba arriesgando demasiado para llegar a tiempo a mi compromiso. *Es demasiado tarde*, argumenté, *ya no puedo regresar.*

Yo quiero que regreses.

¡Pero pensará que estoy loco! ¿De qué hablaría?

Sin embargo, yo quiero que hables con él acerca de su alma. Regresa.

Pero ya voy a llegar tarde a mi reunión...

Regresa.

Así que, después de discutir con el Señor por dos o tres kilómetros, di vuelta al carro y regresé. Bajé parte de la montaña y llegué a la entrada de su casa.

"¿Qué puedo hacer por usted?", me preguntó. "¿Olvidó algo?"

Salí del auto, cerré la puerta y me apoyé en el carro. "Así es," le respondí: Me olviáe de hablarle de risto

Sus ojos se enfocaron directamente en los míos por un instante. "Pase adelante". Se volvió para llevarme hacia adentro de su casa.

Él había participado activamente en la iglesia durante toda su vida, hasta hacía varios años cuando debido a una diferencia con otro miembro de la iglesia había dejado de asistir. Desde entonces, no había tenido nada que ver con Dios.

"¿Sabe usted? Esta es una coincidencia muy interesante. Hay una campaña de avivamiento en este momento en mi antigua iglesia. Mi esposa ha estado asistiendo cada noche, pero yo no he ido."

"Sin embargo", continuó, "he estado pensando acerca de lo que me he estado perdiendo. Creo que Dios le envió a usted tan sólo para darme ese ánimo extra que necesito para arreglar mi vida con el Señor."

Llamó a su esposa que estaba en la cocina para que se nos uniera. "¿Quisiera orar con nosotros por mí?" me invitó. Nos arrodillamos, y recuerdo vívidamente cómo la esposa derramaba lágrimas de gozo cuando su esposo le pidió a Dios que le perdonara su testarudez y que volviera a tomar el control de su vida a partir de ese momento.

El Señor le había preparado. En ese día en particular, era más importante para Dios que yo llegara unos minutos tarde a una reunión, y que tocara un alma que estaba lista para renovar su caminar con el Señor.

LA "CITA DIVINA"

Tenemos un clarísimo mandamiento de nuestro Señor de compartir el evangelio; sabemos que los hombres y mujeres están perdidos sin Cristo. En verdad, las personas están hambrientas de conocer las buenas noticias y los cristianos poseemos las más grandes noticias que se hayan anunciado. Nuestro amor por el Señor, y Su amor hacia nosotros, nos motiva a obedecerle a medida que nos dirige en cada oportunidad de compartir cada día.

A medida que usted camine en una actitud de oración y en comunión con el Señor, siempre, dondequiera que se encuentre a solas con alquien, considérelo una cita divina. Mantegase siempre lisito a compartir su fe. Bien podría que Dios le ha llevado hacia esa persona porque usted conoce las buenas nuevas y esa persona necesita escucharlas.

RESUMEN

● Las personas a su alrededor realmente están hambrientas de conocer las buenas nuevas: que Cristo murió por sus pecados. Sin Jesús no tienen esperanza de conocer a Dios o de tener vida eterna.

●Dios abre para usted las oportunidades singulares para testificar, algunas veces en los lugares y circunstancias menos esperadas. Dios no espera elocuencia, pero si espera obediencia.

● Usted posee la más grande noticia que haya sido anunciada. ¿Por qué dudar en compartirla con otros?

●Cristo nos ha ordenado "id por todo el mundo, y predicad el evangelio a toda criatura". Si le amamos le obedeceremos, "el que tiene mis mandamientos y los guarda, ese es el que me ama".

●Dondequiera que se encuentre a solas con alguien por algunos minutos, considérelo como una cita divina.

PARA REFLEXIÓN Y ACCIÓN

1. Como aquel bie intencionado misionero en Japón, ¿han habido algunos cristianos que con sus pensamientos y comentarios negativos han estorbado que usted testifique de Cristo? ¿Ha tenido la tendencia de pensar negativamente acerca de la manera en que la gente le responderá?

2. Tome varios momentos para reflexionar sobre lo que su relación con Cristo significa para usted. Complete esta frase, "Puesto que Cristo resucitó de entre los muertos y ahora vive en mí, yo...." ¿No le parece que verdaderamente es la más grande y gozosa noticia que hayas podido compartir con otra persona?

3. Basado en su obediencia al mandamiento de Cristo de compartir su fe con otros, ¿qué conclusión piensa usted que Dios obtendría acerca de su amor por Él?

4. ¿Puede usted pensar en por lo menos dos personas a quienes Dios le ha estado dirigiendo a compartirles de Cristo la semana pasada? ¿Cómo respondió?

❦ **4** ❦

Por qué no hay más cristianos testificando

"Yo no acostumbro publicar mi religión a diestra y siniestra. Mi religión es algo personal y privado, y no quiero hablar más sobre el asunto".

Este era uno de los más importantes estadistas cristianos de los Estados Unidos y recién había compartido con él un plan para evangelizar al mundo. Mientras hablábamos de la posibilidad de incluir mil líderes cristianos en este esfuerzo, su declaración anterior me sorprendió.

"¿Usted es cristiano, no es así?" le pregunté.

"Sí", me respondió. "Pero no soy un fanático religioso".

He escuchado este argumento lógico muchísimas veces, y me causa dolor cada vez que lo escucho. Me causó dolor ese día que escuché a este distinguido caballero dando excusas para disculpar su pasividad.

Procedí suavemente: "¿Alguna vez ha pensado que a Jesucristo le costó Su vida para que ahora usted pueda decir que es cristiano?"

Se quedó pensativo por un momento, pero no me respondió.

"Además, a los discípulos les costó sus vidas", continué. "Millones de cristianos a través de los siglos han sufrido, y muchos murieron como mártires para hacerle llegar a usted el mensaje del amor y perdón de Dios. ¿Cree usted ahora que su fe en Cristo es personal y privada y que no debe hablar de ella?"

"No, mi amigo", suspiró el hombre. "Estoy equivocado. Dígame qué puedo hacer para arreglar el asunto".

Sin darse cuenta, este líder cristiano había caído en uno de los engaños favoritos de Satanás: que la fe de una persona es un asunto privado, algo de lo cual no se habla. Como resultado, su testimonio de Cristo era casi nulo. Había tenido en su poder la más grande noticia jamás anunciada, pero hasta ese momento, había rechazado compartirla.

Como un ministerio que se especializa en ayudar a capacitar laicos en evangelismo efectivo, hemos realizado extensos estudios sobre por qué los cristianos no comparten su fe de manera más permanente. Hemos descubierto que, aunque algunos creen como mi amigo que "la religión debe ser personal y privada", la mayoría de los cristianos sí reconocen el imperativo bíblico de dar testimonio personal. Sin embargo, permiten que tres barreras típicas les estorben que testifiquen de Cristo sin temor.

BARRERA 1: LETARGO ESPIRITUAL

Si no está emocionado acerca de alguna cosa, lo más seguro es que no le contaría a muchas personas acerca de ello. Encontramos que en las vidas de muchos cristianos la emoción del caminar cristiano ha sido diluido por las distracciones diarias, la búsqueda de lo material y el pecado sin confesar. Al igual que los creyentes de la iglesia de Efeso, estos hombres y mujeres, "han dejado su primer amor".

Hace algunos años, después de una de mis conferencias sobre el Señorío de Cristo, un joven y brillante educador vino a verme. Sus credenciales eran impresionantes: tenía un doctorado, una carrera de mucho éxito y posibilidades de triunfos aún mayores. Sin embargo algo le molestaba.

"Recibí a Cristo hace varios años cuando era un jovencito", comenzó. "A través de los años, poco a poco fui volviendo a tomar el control de mi vida. Aún sigo activo en mi iglesia, pero con vergüenza confieso que he estado más interesado en promover mi propio negocio y posición social que en servir al Señor y en conocerle más. He comprometido mis valores profesionales y los de la empresa, y no siempre he sido ético y honrado en mis tratos con los demás.

"Dios me ha mostrado... que he malgastado muchos años viviendo egoístamente sólo para mis propios intereses. Ahora quiero ayudar a alcanzar el mundo para Cristo".

Oramos juntos y nos regocijamos en su nuevo compromiso. Hasta ese momento había estado viviendo en un letargo espiritual: centrado en sí mismo, carnal, y sin ningún deseo de buscar a otros para compartirles el amor de Cristo. Sin embargo, después de su rededicación, se convirtió en un testigo seguro y efectivo.

Si se ha sentido espiritualmente seco o derrotado, es posible que haya perdido su "primer amor" (su devoción y obediencia total a Jesucristo). Tal vez ha permitido que el acelerado trajín de la vida le haya hecho dejar de tener tiempos especiales para orar y meditar en la Palabra de Dios. Tal vez ha dejado que el persuasivo mensaje de la sociedad de humanismo y autogratificación le haya llevado en una búsqueda de la "buena vida"...alejado de la mejor vida. Tal vez éstas y otras ofensas contra Dios se han convertido en pecados inconfesos.

En el Salmo 66:18 leemos: "Si en mi corazón hubiese mirado a la iniquidad, el Señor no me habría escuchado". El pecado inconfeso hace un corto circuito en nuestra comunión con Dios y nos convierte en aquel tipo de cristianos que Pablo describe en 1 Corintios 3:1-3:

"De manera que yo, hermanos, no pude hablaros como a espirituales, sino como a carnales, como a niños en Cristo. Os di a beber leche, y no vianda; porque aun no érais capaces, no sois capaces todavía, porque aun sois carnales; pues habiendo entre vosotros celos, contiendas y disensiones, ¿no sois carnales, y andáis como hombres?"

El cristiano carnal descrito por Pablo no siente la obligación de compartir de Cristo porque toda su atención está enfocada en sí mismo en lugar de en los demás. Ha permitido que el amor por las cosas, el amor por las diversiones y por el pecado inconfeso quiten sus ojos de Cristo. Ha dejado su primer amor.

Si estos síntomas describen su vida espiritual, usted puede restaurar su primer amor, su intimidad y gozo en el Salvador, tomando dos importantes pasos.

1. Asegúrese que no hay pecado inconfeso en su vida.
Espera en silencio ante el Señor. Pídele que le revele, a través del Espíritu Santo, cualquier cosa que no esté bien.

- ¿Ha ofendido a un amigo y no le ha pedido perdón?
- ¿Ha violado algún mandamiento de la Palabra de Dios y aún no le ha pedido perdón?
- ¿Ha estado viviendo con ansiedad y preocupación? ¿Cinismo o negatividad?
- ¿Ha mostrado falta de amor hacia los demás en su casa, trabajo, la iglesia o algún otro lugar?
- ¿Ha tenido falta de integridad en sus finanzas o hábitos de trabajo?
- ¿Ha albergado pensamientos lujuriosos?
- ¿Ha dejado de hablarle a alguien acerca de Cristo cuando el Señor le indicaba que lo hiciera?
- ¿Ha dejado que la búsqueda de lo temporal (trabajo, dinero, placer, las "cosas") hayan dominado sus pensamientos y estilo de vida?

A medida que el Espíritu Santo traiga estas cosas a su mente, póngase de acuerdo con Dios en oración que ha pecado y aprópiese de Su perdón, tal como lo promete en 1 Juan 1:9: "Si confesamos nuestros pecados, él es fiel y justo para perdonar nuestros pecados, y limpiarnos de toda maldad".

Para ayudarle a comprender mejor la importancia de la confesión, el significado original de la palabra confesar es "estar de acuerdo con". Cuando se ponga de acuerdo con Dios con respecto al pecado en su vida, le estás diciendo a Él por lo menos tres cosas: (1) "Señor, estoy de acuerdo contigo que estas cosas que estoy haciendo (su lista) están mal"; (2) "Estoy de acuerdo contigo que Cristo murió en la cruz por estos pecados"; y (3) "Me arrepiento, concientemente aparto mi mente y corazón de mis pecados y convierto mis actividades en hechos de obediencia a ti".

2. Asegúrese de estar controlado por el Espíritu de Dios. Caminar en el Espíritu es el secreto de vivir la vida cristiana. Simplemente significa permitir que Dios, a través de su Santo Espíritu, me dé poder y me guíe momento a momento, día tras día.

El mismo Espíritu Santo que les dio poder a los discípulos en Pentecostés para "poner al mundo de cabeza", está disponible para nosotros hoy día. En Efesios 5:18 se nos ordena ser llenos (controlados, dirigidos, guiados) del Espíritu. Bajo la autoridad de la promesa de Dios que nos respondería si le pedimos de acuerdo a Su voluntad (1 Juan 5:14-15), y puesto que es Su voluntad que seamos llenos con Su Espíritu, usted puede pedirle a Dios hoy mismo, por fe, y Él le llenará de Su Espíritu Santo.

Manteniendo a Cristo "en el trono" de su vida. Para comprender lo que está sucediendo en su vida, imagínese un gran trono. Este representa su "centro de control", o su voluntad. Cuando usted recibió a Cristo como su Salvador y Señor, le invitó a su vida y a tomar el trono de la misma; deliberadamente le rindió el control y dirección de su vida a Él.

Sin embargo, cuando cede a la tentación y peca, usted vuelve a tomar el control del trono. Cristo aún está en su vida, pero ya no está en el trono. Dios le creó con libre voluntad, y Él desea que usted decida libremente si le va a obedecer.

El apóstol Pablo identificó este problema cuando escribió:

"Porque lo que hago, no lo entiendo; pues no hago lo que quiero, sino lo que aborrezco, eso hago. Y si lo que no quiero, esto hago... de manera que ya no soy yo quien hace aquello, sino el pecado que mora en mí. Y yo sé que en mí, esto es, en mi carne, no mora el bien; porque el querer el bien está en mí, pero no hacerlo". (Romanos 7:15-18)

"Respiración espiritual". Ser lleno del Espíritu Santo sencillamente es el acto de rendir nuevamente a Dios el control del trono de su vida, confesando el pecado y aceptando su amoroso perdón. Este concepto, que yo llamo "respiración espiritual", es una de las verdades más vitales de la vida cristiana. Es la clave para la victoria diaria sobre la constante atracción del pecado en su vida.

Justo como exhalamos e inhalamos físicamente, exhalamos e inhalamos espiritualmente. "Exhalamos" cuando confesamos nuestros pecados, e "inhalamos" cuando nos apropiamos la limpieza, el control y el poder del Espíritu Santo.

Como resultado de nuestras conferencias de capacitación, miles de personas nos han dicho que esta sencilla verdad ha transformado completamente su caminar con el Señor. Por ejemplo, Julio, había sido cristiano desde su niñez, pero se había sentido frustrado por su experiencia de "montaña rusa" en su dedicación al Señor. Cuando descubrió cómo ser lleno del Espíritu Santo y entregar nuevamente a Cristo el control del trono de su vida a través de la respiración espiritual, comenzó a decirle al Señor, "te entrego el control del trono de mi vida. Guíame y dame sabiduría y fortaleza para actuar, hablar y pensar de la manera que Tú quieres que lo haga". De una vida de constante derrota, comenzó a vivir en la victoria y el gozo de nuestro Señor resucitado.

Es el Espíritu Santo* quien le dará la convicción cuando haya pecado; quien le impulsará a ofrecer una mano de ayuda a un vecino; quien le dará una reserva de amor para ofrecer a los demás; quien le impulsará a compartir su fe con las personas a su alrededor. Su obediencia a sus impulsos diarios evitará que jamás desee dejar su primer amor.

---

* Para más información del ministerio del Espíritu Santo en su vida, vea los apéndices B y C.

BARRERA 2:
CREER LAS MENTIRAS DEL ENEMIGO

"Porque no tenemos lucha contra carne y sangre, sino contra principados, contra potestades, contra los gobernadores de las tinieblas de este siglo", nos dice Efesios 6.

Definitivamente que se está peleando una batalla espiritual. La Biblia dice que Dios "nos ha librado de la potestad de las tinieblas". Todos los cristianos una vez fueron miembros de ese reino, y todos los no-creyentes con quienes compartimos de Cristo son aún miembros del reino de Satanás. No es una idea agradable, pero los no-creyentes están allí por decisión propia, por ignorancia o por falta de conocimiento y Satanás hace todo lo que puede para retenerlos bajo su control.

Así que cuando se sienta que Dios le guía a que le hable a alguien acerca de Jesús, los agentes de Satanás comienzan a trabajar. Hasta escuchará algunas "líneas" muy lógicas de parte suya, están diseñadas para hacerle pensar dos veces, dar la vuelta y abandonar sus intenciones.

"No te metas en lo que no te importa, no tienes derecho a imponerle tus ideas a los demás".

Cuando escuche esta línea, pregúntese a sí mismo, "¿Dónde estaría yo hoy día, si la persona que me presentó a Cristo no se hubiera metido en mis cosas?"

Cuando compartimos a Cristo con un suave espíritu de amor, no estamos "imponiendo" nuestras ideas sobre nadie. Hablamos con amor y delicadeza; la persona está en libertad de escuchar, cambiar el tema o apartarse.

¿Cómo hubiera podido yo "imponer" mis ideas sobre el enorme soldado de más de 2 metros sentado a la par mía en el autobús hace algunos años? Soy relativamente bajo de estatura, pero sirvo a un gran Dios quien me estaba dirigiendo a que compartiera el evangelio con este hombre fornido y de rostro amenazador, quien literalmente era un gigante a la par mía en ese asiento del autobús.

Me contó que apenas había salido de la prisión militar por haber golpeado a su comandante. Mientras más platicábamos, más me daba cuenta que tenía hambre del Señor. Cuando le conté que Dios lo amaba tanto que había enviado a su Hijo a morir por él, comenzó a llorar.

"Mi madre y mi esposa son cristianas", me dijo entre sollozos. "Por años han estado tratando que me haga cristiano".

Entonces, este soldado, duro como el acero, me dijo algo que nunca podré olvidar: "no recuerdo la última noche que no mojé mi almohada con lágrimas porque tengo miedo de morir sin Dios."

Su madre y su esposa le habían convencido que debía hacerse cristiano. Sin embargo, nunca pudieron explicarle cómo hacerlo. Cuando le mostré cómo podría invitar a Cristo a su vida, aprovechó inmediatamente la oportunidad. Estaba tan emocionado que en la siguiente estación se bajó del autobús para llamar a su madre y esposa y contarles la noticia.

"Ofenderás a esa persona. Mejor no le diga nada".

Si alguien que usted conoce estuviera a punto de morir de cáncer y usted conociera la medicina para el cáncer, ¿evitaría contarle acerca de la medicina por temor a ofenderle?

Por supuesto que no. Con mucho gusto compartiría la buena nueva que el cáncer puede ser sanado. ¿Por qué debemos sentirnos con menos entusiasmo al compartir sobre la mejor medicina para la peor enfermedad?

"Pensará que es un fanático".

Puede que sí, pero también puede ser la persona a quien Dios ha preparado especialmente para usted este día. No todos aceptarán el evangelio, aun Jesús encontró hombres y mujeres que rechazaron su mensaje. Nuestro trabajo no es convertir, sino obedecer. Podemos destruir ese estereotipo del "fanático" con una presentación lógica, segura y amorosa de las aseveraciones de Cristo, compartidas en el poder del Espíritu Santo.

"Distracciones, interrupciones. Interrupciones, distracciones".

Suena el teléfono. Alguien entra en el cuarto. Un bebé llora reclamando atención. Alguien enciende la televisión. Cuando nos disponemos a atacar el reino de Satanás, tiene que estar seguro que lanzará un contraataque. Puede arreglar circunstancias que pongan toda clase de obstáculos entre usted y la persona con quien está compartiendo.

Cuando me encuentro en una de estas situaciones, oro en silencio, aun mientras hablo, le pido a Dios que ate a Satanás y permita que mi amigo escuche el mensaje y haga una decisión en libertad. Definitivamente es una batalla espiritual, pero puedes estar seguro que si Satanás anda causando problemas es porque está preocupado. Debes estar haciendo algo bien.

"Esta persona me dirá que "no" y me sentiré avergonzado".

Muchas veces los cristianos somos culpables de presentar el evangelio con una actitud que dice: "¿Verdad que usted no quiere recibir el regalo más grande disponible a la humanidad?" No nos damos cuenta cuántas personas están listas para aceptar a Cristo, si tan sólo alguien les mostrara cómo hacerlo. Nuestra filosofía de testificar no debería ser, "estoy seguro que no aceptará a Cristo", sino, "¿quién le podría decir no a Jesucristo?" Siempre debemos suponer una respuesta positiva.

Un día mientras almorzábamos yo le contaba a un amigo lo hambrientas que las personas están por conocer al Señor. "Esa no ha sido mi experiencia", me respondió.

Justo en ese momento, vino el mesero y yo le dije: "Mi amigo y yo estamos platicando acerca de como todas las personas quieren conocer al Señor. ¿Quisiera usted conocer al Señor?"

"¡Sí que me gustaría!", exclamó el mesero.

Mi amigo casi se cayó de la silla. Sabía que no era posible que yo hubiera arreglado esta respuesta porque era mi primera vez en esa ciudad. El Señor quería traer a un mesero a Su reino ese día, y quería que mi amigo se diera cuenta que las personas están hambrientas del evangelio, si tan sólo alguien les dice cómo recibir a Cristo.

Si yo no hubiera anticipado una respuesta positiva, tal vez no hubiera tenido el valor de decir lo que le dije al mesero. Hubiera dejado pasar la oportunidad por el temor que el mesero me dijera que no y me avergonzara.

Uno de los testigos de Cristo más efectivos que yo jamás he conocido fue Arturo S. DeMoss. Arturo no era el tipo que andaba buscando un "trofeo espiritual" para alardear con los demás que había llevado a alguien al Señor; este hombre de negocios dejaba que el Espíritu de Dios le llenara y siempre buscaba a las personas motivado por un amor genuino. Arturo siempre presuponía una respuesta positiva.

Estábamos cenando juntos una noche en México cuando el jefe de meseros vino a preguntar sobre la comida. Arturo, con una sonrisa en los labios le dijo: "Estamos disfrutando todo. Ahora me gustaría hacerle una pregunta: "¿Es usted cristiano?"

El jefe de meseros sacudió su cabeza. "No, no lo soy".

"¿Le gustaría serlo?"

"Sí, sí me gustaría".

"Déjeme explicarle cómo puede usted llegar a ser cristiano", le ofreció Arturo. Llevó a este hombre al Señor allí mismo en nuestra mesa. El mesero estaba muy emocionado acerca de su nueva relación con Jesucristo.

Debido a que Arturo siempre presuponía una respuesta positiva, no dudaba en testificar de Cristo en cada oportunidad. De manera individual y en grupos grandes, Arturo llevó a miles de personas a recibir a Cristo. Aunque ahora ya está en la presencia de Dios, su amada esposa, Nancy, y la Fundación Arturo S. DeMoss continúan ayudando a llevar el evangelio a todo el mundo.

BARRERA 3: FALTA DE CONOCIMIENTO PRÁCTICO, LOS "CÓMO HACERLO"

"¿Qué digo?"

"¿Qué versículos uso?"

"¿Cómo empiezo a conversar acerca de Jesús?"

"¿Cómo contesto preguntas o argumentos?"

"¿Cómo puedo estar seguro que la otra persona comprende lo que le digo?"

"¿Cómo lo animo a tomar la decisión?"

Como resultado de miles de encuestas hemos encontrado que la gran mayoría de cristianos hoy día no sólo creen que deben compartir su fe; realmente desean compartir su fe. Muchos cristianos escuchan mensaje tras mensaje desde el púlpito sobre la necesidad de "llevar a Cristo a las calles y a las oficinas" pero no reciben la capacitación práctica que calme sus temores y les ayude a testificar con efectividad. El resultado es un sentido de culpabilidad: saben que deben hacerlo, pero dudan porque no saben cómo hacerlo.

Me animo cuando veo más y más pastores proveyendo capacitación a los miembros de sus iglesias. Hay muchos y excelentes programas de capacitación disponibles para las iglesias hoy en día. Para ser un testigo eficaz, no necesitas un título de un seminario o un sinfín de ejercicios que cubran cada eventualidad posible. En un par de horas, tú puedes aprender un método para compartir a Cristo que ha demostrado ser efectivo para millones de cristianos alrededor del mundo.

Miles de pastores han tomado esta capacitación, al igual que estudiantes y laicos, quienes a su vez la han usado para testificar a sus seres amados, amigos, vecinos y conocidos casuales. Tenemos en nuestros archivos cientos de historias de personas que han recibido a Cristo a través de esta presentación, luego salieron y llevaron a otra persona al Señor en cuarenta y ocho horas. Es muy sencillo, efectivo y transferible.

No afirmamos que es la única manera de compartir el evangelio, o que sea la mejor manera; sino que es un método que funciona. En el capítulo 9 le llevaré por la presentación completa paso por paso, tal como si estuviera en una de nuestras sesiones especiales de capacitación. Este libro puede ser su manual de capacitación para ayudarle a desarrollar el conocimiento práctico, el "cómo hacerlo" para compartir su fe con confianza.

RESUMEN

● Hay tres barreras que evitan que los cristianos testifiquen de Cristo sin temor: (1) el letargo espiritual; (2) el creer las mentiras del enemigo; y (3) la falta de conocimiento práctico, el "cómo hacerlo".

●Usted puedes vencer el letargo a través de la "respiración espiritual". Confiese su pecado (exhalar), y aprópiese de la limpieza, el control y el poder de Dios (inhalar).

●Satanás tiene varias mentiras o "líneas" favoritas que evitan que hablemos de Cristo con otros. Puesto que usted es miembro del Reino de Dios, no tiene que caer en el engaño del enemigo.

●Muchos cristianos bien intencionados tratan de testificar de Cristo a otros, pero se confunden porque carecen de la capacitación práctica, no conocen el "cómo hacerlo". En este libro aprenderá un método que ha comprobado tener éxito en millones de situaciones diferentes.

PARA REFLEXIÓN Y ACCIÓN

1. ¿Cuáles son algunas de las razones por las cuales usted ha dudado en testificar de Cristo a otros en el pasado? Sé específico.

2. ¿Ha permitido que las diversiones, el letargo, el materialismo o el pecado inconfeso le roben la emoción de testificar de Cristo? ¿En qué maneras?

3. En un tiempo de oración en silencio, pídale a Dios que le revele cualquiér pecado inconfeso en su vida. Tome los pasos necesarios para confesar cualquier pecado, luego aprópiese de la limpieza y el perdón de Dios.

4. Comprométase a que, con la ayuda de Dios, no permitirá que la resistencia de Satanás impida que busque a otros con el mensaje del amor y perdón de Dios.

El comprender el éxito y el fracaso, lo
pueden liberar del temor a ser
"rechazado".

✦ 5 ✦

Venciendo el temor
a fracasar

Hace muchos años, en un brillante y caluroso día de Oklahoma, después de concluir una visita a mis padres, me dirigía hacia el aeropuerto en un auto rentado. Adelante de mí vi un camión muy grande saliendo de la calle auxiliar listo a entrar a mi carril en la autopista.

En ese momento pensé, yo tengo el derecho de vía, seguro que se detendrá hasta que yo pase. Sin embargo, me equivoqué. Entró justo delante de mí y no hubo manera de evitarlo o de maniobrar para evitarlo.

El accidente destrozó mi automóvil. Mi única herida fue un pequeño rasguño donde mi reloj se movió. Sin embargo, el chofer del camión, quien tenía la culpa por no haber cedido el derecho de vía, estaba tan aterrorizado que estaba a punto de tener un ataque de nervios. Dejamos el carro al lado de la carretera y el chofer me llevó hasta Coweta a ver a su jefe.

Su jefe era el comisionado del condado, un antiguo amigo de la familia a quien yo le había testificado del Señor con anterioridad sin tener ningún resultado. Me ayudó a reportar los detalles del accidente y luego me llevó al aeropuerto.

Sabía dentro de mí que Dios usaría esta circunstancia traumática para permitirme compartir a Cristo de nuevo con este hombre. Decidí ir al grano con él.

"¿Sabe? creo que Dios permitió que todo esto sucediera para que yo pudiera hablar con usted de nuevo. Nunca sabemos cuándo un accidente como éste puede suceder. Yo estaba listo para partir. ¿Está usted listo para partir?"

Pero aún no estaba listo. "Esto no es para mí", me dijo.

Me subí al avión dando gracias a Dios que había cuidado mi vida, pero triste porque una vez más, este hombre había rechazado al Señor Jesús....

Fracaso. El temor al fracaso puede ser algo que paralice en verdad al testigo fiel, porque a ninguno de nosotros nos gusta ser rechazados. Tendemos a tomarlo como algo personal, igualando el rechazo de nuestro mensaje como un rechazo a nosotros como persona. Se siente feo ser despreciado.

Se siente aún peor cuando hemos hecho un esfuerzo por alcanzar a una persona con amor genuino y vemos a esta persona rechazar el más grande regalo que se haya ofrecido a la humanidad, el Hijo de Dios. La compasión por los perdidos no viene sin lágrimas.

Una de las verdades liberadoras de la vida cristiana es que Dios no pide nada de nosotros, que Su Hijo Jesucristo no haya hecho por sí mismo. Jesucristo, por quien las multitudes caminaban muchos kilómetros para escuchar sus enseñanzas y para ser sanados, vio cómo muchos rechazaron su mensaje. A diferencia de nosotros, Jesús nunca se entristeció porque alguien había dañado su ego. Él se dolía porque la gente había rechazado al Dador de la vida y el regalo de la vida eterna.

¿"FRACASÓ" JESÚS EN TESTIMONIO?

El ministerio de nuestro Señor presenta algunas preguntas interesantes: ¿"Fracasó" al testificar? ¿Fracasó cuando el joven rico se fue triste, negándose a poner a Dios en el primer lugar de su vida? ¿Fracasó cuando Judas Iscariote no le recibió como su Mesías? ¿Fracasó porque uno de los ladrones crucificados con Él no quiso reconocer su Señorío? ¿Fue un fracaso Su testimonio porque muchas personas dentro de las multitudes que le seguían no le recibieron?

Nuestro Señor mismo respondió estas preguntas en la oración a su Padre Celestial al final de su ministerio terrenal:

"Yo te he glorificado aquí en la tierra; he acabado la obra que me diste que hiciese."

San Juan 17:4

A pesar del rechazo, o lo que nosotros podríamos llamar "fracasos", nuestro Señor Jesucristo sabía que Su misión estaba a punto de cumplirse. Había obedecido la comisión que Su Padre le había dado. Había traído el mensaje, y estaba a punto de completarlo con Su muerte y resurrección. Aunque se dolía por aquellos que le rechazaron, Él no había fracasado. Había hecho "todo" aquello que Dios le había encomendado hacer.

LO QUE ÉL PIDE ES QUE SEAMOS OBEDIENTES

Nuestro Padre celestial únicamente pide esto de nosotros: que obedezcamos Su mandamiento de "Id y predicad el evangelio a todas las naciones..." Su mandamiento no es ir a "convertir a todas las personas". Jesús no lo hizo y nosotros tampoco lo haremos. Sin embargo, sí podemos obedecer; podemos dar a conocer este mensaje a todos aquellos que escuchen y confiar en Dios por los resultados.

El ministerio de Jesús modeló para nosotros una verdad liberadora acerca de nuestros esfuerzos al testificar:

El éxito al testificar es simplemente tomar la iniciativa en compartir a Cristo en el poder del Espíritu Santo, dejando los resultados a Dios.

Jesús nunca fracasó en Su ministerio. Logró todo lo que Su Padre lo había comisionado a hacer. De igual manera, nosotros no fracasaremos si obedecemos lo que Dios quiere que hagamos, motivados por un amor y compasión genuinos.

Fracasamos al testificar de Cristo solamente si desobedecemos la orden de Dios de compartir Su amor en el poder del Espíritu Santo.

El fracaso al testificar de Cristo = no hacerlo

Si no hubiera escuchado esta verdad, hubiera yo estado confundido y derrotado después que el comisionado del condado rechazó mi mensaje. O me hubiera desanimado una noche en el lote de estacionamiento en Washington D.C. al hablar con el encargado de estacionar los autos después de un día muy emocionante en los salones del Congreso donde me reuní a orar y tener compañerismo con varios de los líderes de nuestro país, y yo sentí que el Espíritu Santo me indicaba que le preguntara al empleado del estacionamiento si ya era cristiano.

"Mi padre era ministro", me respondió, "y no practicaba lo que predicaba. Así que ya recibí toda la religión que puedo aguantar". Y luego prosiguió contándome como había dejado la iglesia y no quería saber nada de Dios.

No pude evitar sentir el nudo en mi garganta al pensar en mis dos hijos: ¿Qué pasaría si yo fuera inconsistente en mi vida y ministerio? ¿Qué si ellos rechazan al Señor por mi causa?

Seguimos platicando. Nunca había recibido al Señor, y no importa lo que le dije, no quiso hacerlo en ese momento.

Fui a mi habitación en el hotel, pero mi alma no podía descansar. Algunos podrían pensar, *pero tan sólo era un empleado del estacionamiento*. Sin embargo, este hombre era importante para el Señor y para mí. Tan importante como los senadores y demás altos oficiales del gobierno con quienes había estado antes. Mi corazón se conmovió por él. Él había estado muy cerca de tener una vida con Cristo, pero nunca le recibió del todo. Decidí bajar y salir hasta el estacionamiento y hablar más con él. De nuevo, se rehusó a recibir a Cristo.

Me sentí mal por él. Su rechazo del Salvador me entristeció profundamente.

Pero, ¿Había yo fracasado?

Si el ejemplo de Cristo es confiable, la tarea no es obtener resultados. Estos pueden obtenerse o no. La tarea a la cual Dios me había llamado en ese momento era obedecerle y compartir de Cristo de la manera más efectiva y amorosa que pudiera.

TESTIFICANDO DE CRISTO SIN FALLAR

Cuando usted obedece a Dios, motivado por el amor, no puede fracasar. Su mensaje puede ser aceptado o rechazado, pero cuando usted comparte a Cristo en obediencia al mandato de Dios y con la guía del Espíritu Santo, usted tuvo éxito al testificar, no importa cuál haya sido el resultado inmediato.

El éxito al testificar es simplemente tomar la iniciativa en compartir a Cristo en el poder del Espíritu Santo, dejándole los resultados a Dios.

Lea esta afirmación en voz alta. Apréndala de memoria. Cuando el temor al fracaso comience a paralizarle a no obedecer a Dios para testificar de Cristo, repítaselo usted a sí mismo. El éxito al testificar es simplemente tomar la iniciativa en compartir a Cristo en el poder del Espíritu Santo, dejando los resultados a Dios.

Esto no debe interpretarse como que estamos defendiendo un acercamiento tipo "pega y corre" en nuestro ministerio de testimonio personal, sin proveer un seguimiento adecuado para ayudar a los nuevos creyentes a estudiar la Palabra de Dios y crecer en su fe. Creemos firmemente en la importancia de que un nuevo creyente participe en (1) una iglesia donde se honre al Señor y se proclame la Palabra de Dios; y (2) una capacitación sistemática sobre la seguridad de salvación, oración, estudio bíblico, compañerismo con otros cristianos y crecimiento espiritual.

REMOVIENDO LA CARGA DE "RESULTADOS"

Es más, esta definición busca quitarle al cristiano frustrado de hoy día, la carga de los "resultados". Para el testigo fiel, vendrán muchas experiencias gozosas de llevar a otros al Señor. En la mayoría de culturas y países, encontramos que entre 25 y 50 por ciento de aquellos que escuchan el evangelio (cuando es presentado por creyentes capacitados y llenos del Espíritu Santo), reciben a Cristo como resultado. Si estos números positivos son verdaderos, entonces, entre 50 y 75 por ciento responderán con un "no" por lo menos al escuchar por primera vez.

¿Constituyen los "no" un fracaso? Regrese a la definición del éxito y fracaso al testificar de Cristo. Repítala en voz alta. ¿Justifican estos porcentajes que no hablemos de Cristo por la posibilidad de enfrentar un número de personas que respondan "no"?

Una vez estaba en la Universidad de Wheaton, en Wheaton, Illinois, realizando un instituto de capacitación para compartir la fe. Parte del instituto consistía en una tarde de salir a testificar de Cristo de puerta en puerta.

Un buen amigo mío, un profesor de la universidad vino a mí y me dijo: "Bill, quiero ir contigo porque tú eres el profesional".

"Mira", le respondí, "en esto no hay profesionales. A menos que Dios obre en los corazones de los hombres, nada sucede. Él sólo nos pide que seamos obedientes y que proclamemos el mensaje."

Mi amigo pensaba que como yo había enseñado a muchos cristianos cómo testificar de Cristo con mayor eficacia, tal vez un poco de la "magia" se le pegaría a él. No sé por qué el Señor lo permitió, pero ese día tuve la peor experiencia al testificar de Él. Casi nos sacaron físicamente de una casa. Otra persona reaccionó muy enojada. No vimos ni una sola persona que tan sólo estuviera interesada en escucharnos. Tuvimos un número increíble e inexplicable de respuestas negativas toda la tarde.

En casi cuarenta años de compartir mi fe, puedo contar con los dedos de una mano el número de rechazos hostiles que recuerde. Una buena parte de ellos parecieron venir al mismo tiempo ese día.

Si algo bueno salió de esa tarde, la experiencia hizo que mi amigo se sintiera mejor. Tal vez Dios quería animarle ilustrándole que aun Bill Bright, el supuesto "profesional" en testificar de Cristo, no tenía el poder de llevar a nadie al Señor a menos que Dios mismo lo hiciera.

LO QUE CRISTO ENSEÑÓ ACERCA DEL FRACASO

Para aquellos que cuestionan si aun debemos intentarlo, considerando las probabilidades que un número de personas responderán que "no", hay una palabra de seguridad para nosotros en la parábola del sembrador. Cristo ilustra aquí la variada eficacia de su mensaje:

"Y les habló muchas cosas por parábolas, diciendo: He aquí el sembrador salió a sembrar. Y mientras sembraba, parte de la semilla cayó junto al camino; y vinieron las aves y la comieron. Parte cayó en pedregales, donde no había mucha tierra; y brotó pronto, porque no tenía profundidad de tierra; pero salido el sol, se quemó; y porque no tenía raíz, se secó. Y parte cayó entre espinos; y los espinos crecieron, y la ahogaron.

Pero parte cayó en buena tierra, y dio fruto, cuál a ciento, cuál a sesenta, y cuál a treinta por uno"

San Mateo 13:3-8

Cristo enseñó que hay cuatro tipos de personas que escuchan. Y solamente una de las cuatro toman el mensaje (la semilla) y la ponen a trabajar en su vida.

"Mas el que fue sembrado en buena tierra, éste es el que oye y entiende la palabra, y da fruto; y produce a ciento, a sesenta, y a treinta por uno"

San Mateo 13:23

Los otros tres tipos de personas (tipos de terrenos) menospreciarán el mensaje o lo rechazarán de plano. Jesucristo mismo lo reconoció, y aunque su compasión lo llevó a amar y desear las almas humanas. Él sabía que el hombre ejercería esa capacidad, dada por Dios, de escoger libremente, tanto a favor como en su contra. El hombre continúa haciendo lo mismo el día de hoy.

NUNCA LO SABREMOS...

Así que vendrán muchos "no". Tal como lo discutimos en el capítulo anterior, siempre debemos presuponer una respuesta positiva, puesto que el mundo está más hambriento del evangelio hoy, que nunca antes. Realmente los campos están blancos para la siega. Pero cuando vengan los "no", no debemos sorprendernos o desanimarnos.

En realidad no sabemos hasta donde llegará un "no".

En 1976, Tomás y Dorita, una pareja de Washington D.C. salieron a testificar con su iglesia como parte de la campaña "Ya la encontré" de Vida para América. Visitaron un hogar donde un hombre y una mujer convivían sin estar casados, estaban tan drogados que no se podía conversar con ellos.

Así que Tomás y Dorita dejaron un folleto evangelístico en su mesa de centro y les sugirieron que lo leyeran cuando así lo desearan. Tomás y Dorita habían recibido un "no" silencioso pero inconfundible.

Dos semanas más tarde, la mujer encontró el folleto y comenzó a leerlo. Su sencilla presentación del evangelio la convenció al grado de arrodillarse en la sala de su casa y así recibió a Cristo en su vida. Luego se lo dio al hombre con el cual había estado viviendo, y después de varios días, sacó el folleto, lo leyó y también aceptó al Señor.

Varias semanas transcurrieron y esta pareja comenzó a escuchar y ver programas cristianos en la radio y la televisión. A medida que escuchaban más de la Palabra de Dios, desearon asistir a una iglesia y un domingo fueron a la iglesia en su vecindario. Era la misma iglesia de la cual le habían visitado los amigos que les habían testificado de Cristo.

Cuando el pastor hizo la invitación, el hombre y la mujer pasaron juntos al frente a declarar en público su nueva fe en Cristo y expresar su deseo de ser bautizados. Dejaron de vivir juntos como solteros y pronto se casaron. Cinco años después, habían crecido tanto en su caminar con el Señor que le pidieron que fuera diácono de la iglesia y ella estaba activa en varios ministerios.

Cuando Tomás y Dorita salieron de la casa llena de humo por las drogas, de esta pareja ese primer día, deben haber pensado, "¡qué pérdida de tiempo!"

Sin embargo, debido a ese contacto inicial, realizado por obediencia a un Dios que ordena "Id y predicad el evangelio", Dios convirtió el "no" de esta pareja en un "sí" y trajo dos nuevos creyentes comprometidos a Su reino.

Realmente nunca se pierde el tiempo al testificar de Cristo.

LA CARTA LARGA

Otro "no" que sobresale en mi memoria es una larga carta que escribí a un reconocido consultor de ventas. Lo había conocido en seminarios donde era el orador principal, iniciamos la conversación y disfrutábamos el tiempo juntos.

Cuando le compartí a Cristo me pareció poco interesado, sin deseo de comprometerse. "¿Por qué no me escribe un par de líneas con más información?", me dijo cuando nos despedimos.

Al regresar a mi oficina, pensé en él, orando sobre lo que le escribiría. En los próximos días, sentía que el Señor me guiaba al buscar los versículos y conceptos del plan de salvación que pondría en la carta a mi nuevo amigo. Hice una copia y le envié la original, orando que Dios usara mi esfuerzo en la vida de este hombre.

Hasta donde yo sé, este hombre nunca recibió a Cristo en su vida. Su silencio implicaba un "no", pero Dios estaba trabajando en su vida de maneras que nunca me hubiera imaginado.

Después que junto con algunos amigos de confianza revisamos lo que había escrito en esa carta, me sugirieron que la imprimiera en grandes cantidades, bajo un saludo ficticio, como una herramienta de evangelismo. Dirigí esta carta al doctor Van Dusen (el nombre me sonaba intrigante) e imprimimos varios miles de copias. A través de los años, la carta Van Dusen ha sido reimpresa muchas veces para satisfacer la demanda de nuestros coordinadores, hombres de negocio cristianos y otros hombres y mujeres laicos que la han usado para llevar a miles de hombres y mujeres al Señor.

LA LLAMADA

Una noche, mientras cenábamos con la familia, recibí una llamada de larga distancia. La mujer al otro lado de la línea me relató de una carta impresa dirigida a un tal "Doctor Van Dusen" que se había encontrado en el asiento de un avión comercial.

"¿Es usted el Bill Bright que escribió la carta?", me preguntó. Comenzó a hacerme unas preguntas y luego me dijo: "Me gustaría llegar a ser cristiana. ¿Me podría usted ayudar?"

Qué emocionante fue orar por teléfono con esta sincera mujer mientras recibía a Cristo como su Señor y Salvador. Sin embargo, la historia no termina aquí.

En la sala de su casa estaban con ella otras cinco personas, miembros de su familia y amigos. Todos habían leído la carta Van Dusen. Uno por uno, vinieron al teléfono y, después de algunos preguntas y respuestas, recibieron a Cristo.

Realmente el testificar del Señor nunca es en vano.

Fracasamos al testificar sólo cuando no lo hacemos.

El éxito al testificar es simplemente compartir a Cristo en el poder del Espíritu Santo, dejando los resultados a Dios.

...Habían pasado muchos años desde mi accidente automovilístico en Oklahoma, cuando el padre de Vonette falleció. Regresamos a Oklahoma y estando en el servicio funeral en el cementerio, el pastor que presidía hizo un desafío para las personas allí presentes.

"Roy Zachary estaba listo para reunirse con el Señor", dijo, "y usted, ¿está listo? Si no lo está, Cristo quiere entrar a su vida".

Volví la vista hacia atrás y justo detrás de mí estaba mi amigo el comisionado del condado. Podía ver las lágrimas formándose en sus ojos.

Lo último que quería era interrumpir lo sagrado del momento, pero yo sabía que, una vez más, Dios me estaba impulsando para que le hablara.

"Mi amigo, ¿está listo? ¿No cree que ya es momento de hacer esta decisión?"

"Sí, señor", su voz se quebrantó al decir en un susurro "Ya era tiempo". Al final del servicio, nos movimos a un lugar más privado y recibió a Cristo con una oración que comenzó:

"Señor Jesús, te necesito..."

¿No es maravilloso poder dejar los resultados a Dios?

RESUMEN

● El éxito al testificar es sencillamente tomar la iniciativa de presentar a Cristo en el poder del Espíritu Santo, dejando los resultados a Dios.

● El fracaso al testificar de Cristo es dejar de testificar.

● Dios no nos pide cuentas por los resultados, únicamente por nuestra obediencia o falta de obediencia.

● A menudo, una oportunidad de testificar de Cristo que tal vez la consideramos como "fracaso", será usada por Dios en el futuro para atraer a esa persona hacia Él. Por lo tanto, aunque no veamos resultados inmediatos, podemos sembrar una semilla positiva en la vida de esa persona yconfiar que a su tiempo, Dios producirá el fruto.

PARA REFLEXIÓN Y ACCIÓ

1. Hasta este momento en su vida, ¿Cómo ha definido el éxito al testificar de Cristo? ¿Y el fracaso al testificar? ¿Ha permitido que sus definiciones eviten que usted hable de Cristo por temor a ser rechazado?

2. Memorice las definiciones de este capítulo del éxito y el fracaso al testificar de Cristo.

3. Resuelva que cada vez que comparta su fe y no vea resultados inmediatos, no lo tomará como un rechazo personal.

Confíe que Dios nutrirá la semilla que ha plantado, haga oración regularmente por esa persona y sea obediente a la guía de Dios en los contactos futuros con esa persona.

❖ **6** ❖

Cómo orar por sus amigos y seres queridos

Tenía aproximadamente unos cincuenta años, y al acercarse a mí después de la conferencia, sus ojos estaban enrojecidos de tanto llorar. "Nuestro hijo tiene casi treinta años", comenzó a relatar con voz temblorosa, "y aún vive en rebeldía. No creo que sea cristiano y no sé cómo comunicarme con él."

La historia de la vida de esta mujer es igual a cientos de historias que escucho cada año, de hermanos cristianos muy preocupados: un miembro de la familia, un vecino, un amigo, o un compañero de trabajo necesitan de Cristo. El cristiano preocupado ha estado orando por esa persona, algunas veces durante años, sin una respuesta aparente a sus oraciones.

Estoy seguro que así debió sentirse mi madre cuando oraba por sus hijos y por mi padre. Mi mamá y mi papá estuvieron casados por treinta años antes de que mi papá recibiera a Cristo. El amor que tenían el uno por el otro era fuerte, pero la indiferencia de mi padre hacia el Señor debió haber causado que mi madre derramara muchas lágrimas. Sin embargo, ella siguió orando, por él, por mis hermanos y hermanas y por mí, hasta que finalmente, treinta años después, sus oraciones comenzaron a producir resultados y toda mi familia recibió al Señor.

ORANDO POR MI PROMETIDA

Debo confesar que luché durante muchas sesiones de oración por la vida de mi prometida, Vonette, durante nuestro compromiso al final de los años cuarenta.

Vonette era atractiva, simpática y provenía de una excelente familia. Aunque habíamos sido amigos durante nuestros años de juventud, no fue sino hasta que recibí a Cristo en el Sur de California, que nuestra amistad floreció en un amor romántico y finalmente en el compromiso matrimonial. Vonette siempre había sido muy activa en su iglesia, por lo que supuse que vivía una vida cristiana vital. Sin embargo, pronto comencé a cuestionar su compromiso con Cristo.

La noche que le propuse matrimonio, le dije: "Vonette, te amo, y ansío pasar toda mi vida junto a ti. Sé que comprenderás que Dios siempre tendrá el primer lugar en mi vida y en nuestro matrimonio".

Ella no me dijo nada en ese momento. Varios meses después, le repetí este compromiso, cuando pasé unos cuantos días en Coweta en camino hacia el seminario teológico de Princeton. Esta vez sí reaccionó. "No estoy segura que eso sea lo correcto", me respondió molesta. "Yo creo que la prioridad del hombre debe ser su familia".

Comencé a discutirlo, pero dejé de hacerlo, sabiendo que tendríamos suficiente tiempo para resolver estas cosas. En el otoño de 1947, me matriculé en el seminario teológico de Fuller para estar más cerca de mi negocio. Mientras estudiaba para obtener mi maestría en Fuller, la relación de Vonette con el Señor continuaba preocupándome.

¿POR QUÉ NO HABÍA CONTESTADO DIOS MIS ORACIONES?

¿Sería verdad, como había pensado originalmente, que Dios había escogido a Vonette para ser mi esposa? Si así era, ¿por qué no había contestado mi oraciones acerca de su salvación? ¿Cómo podríamos unirnos en "yugo desigual" y seguir haciendo su voluntad? ¿Sería posible que ella algún día llegara a compartir mi amor y pasión por el Señor?

Yo había estado tan seguro que Vonette era la mujer para mí. La amaba y ella me amaba a mí. Pero simplemente no podía aceptar el hecho que su relación con el Señor tenía que ir más allá de la mera actividad en la iglesia hasta llegar a entregar la totalidad de su vida al Señor.

Fue un tiempo emocionalmente duro para ambos. Recuerdo que oraba cada día: *"Señor, yo creo que tú trajiste a Vonette a mi vida. La amo y quiero casarme con ella, pero sé que no es tu voluntad que un cristiano se case con una mujer no cristiana. Padre, por favor ayuda a que Vonette entregue su vida a ti".*

Después de que Vonette obtuvo su licenciatura en economía del hogar, le sugerí que visitara a su hermano, quien vivía en el sur de California. Ella pensó que era una buena idea, más o menos una "última oportunidad" para nuestra relación, tendríamos que decidir sí o no. Vonette en confianza, le dijo a un amigo: "O rescato a Bill de su fanatismo religioso, o regreso sin anillo".

SINTIÉNDOSE INCAPAZ DE COMPARTIR

Durante su visita, Vonette me acompañó a una reunión de varios cientos de estudiantes universitarios cristianos en el centro de convenciones Forest Home. Aunque yo había estado aprendiendo cómo presentar a Cristo a otros, me sentí muy incapaz de hablarle a Vonette acerca de Él. Tenía miedo que ella simulara recibir a Cristo tan sólo por continuar nuestra relación, sin experimentar un verdadero cambio en su vida.

Mi esperanza era entonces, lograr que ella hablara con alguien más experto y objetivo que yo.

Tal vez si pudiera reunirse con la doctora Henrietta Mears, quien había sido un importante instrumento en mi conversión; Vonette podría ver la importancia de tener una relación personal con Cristo. Además de ser la directora de educación cristiana de la iglesia presbiteriana de Hollywood, la doctora Mears había fundado Forest Home y estaba en el programa para dar una charla durante esta serie de conferencias.

Así como yo había recibido una buena impresión de parte de aquel artista cristiano en aquella fiesta hacía algunos años, Vonette recibió una buena impresión de los jóvenes alegres y vibrantes que estaban en este seminario. Le gustaba la calidad de vida que éstos poseían, pero mostraba escepticismo acerca de su profundidad. Después de un par de días, concluyó que su gran entusiasmo por el cristianismo se debía a que era algo nuevo para ellos. Pronto se les acabaría la emoción. Después de todo, ella había crecido en la iglesia y no veía en ella nada por qué emocionarse.

"ESTO NO ES PARA MÍ"

"Bill", me dijo una noche: "respeto tu entrega, pero esto no es para mí".

Sus palabras me golpearon fuerte. Había orado por ella con tanto fervor. La amaba profundamente, tanto romántica como espiritualmente. Yo deseaba tanto que experimentara el gozo de una relación personal con Dios. Sin embargo, ella rechazaba al Señor, y al hacerlo, parecía rechazarme a mí también.

"¿Estás segura?" le pregunté.

"Estoy segura", me respondió en un susurro entrecortado por la emoción. "No creo que todo este asunto de la relación personal sea real, o necesario, pero veo que es importante para ti, y..."

Se llenaron sus ojos de lágrimas, mientras luchaba por encontrar las palabras adecuadas. Yo sentía mi corazón martillar dentro de mi pecho al presentir lo que seguía.

"...creo que esto ha puesto una gran barrera entre nosotros. Tal vez lo mejor sería cancelar nuestro compromiso".

Un gran nudo se me hizo en la garganta al darme cuenta
de lo que estaba pasando. Quería que fuera mi esposa, pero
espiritualmente estábamos a mundos de distancia. Yo no
podía dejar mi fe y ella no la haría suya. ¿Por qué Dios no
respondía mis oraciones por ella?

Tomé sus dos manos con las mías y la vi directamente a
sus húmedos ojos. "Vonette, tú me dijiste que respetabas mi
compromiso. Yo también te respeto por la manera en que has
sopesado cuidadosamente esta situación. Antes de que tomemos una decisión final, ¿harías una cosa más?"

"¿Y cuál sería esa cosa?"

"Hablar con la doctora Mears. Creo que te caerá bien.
Tiene una mente inquisitiva, científica, como la tuya. Ella
puede explicar estas verdades mucho mejor que yo".

LA VISITA CON LA DOCTORA MEARS

Vonette aceptó con vacilación. A la mañana siguiente
llegó a la cabaña de la doctora Mears con la actitud de: *es
inútil, pero quiero que Bill sepa que hice todo lo posible.*
Mientras la doctora Mears y Vonette hablaban, yo me paseaba
de un lado para el otro afuera de la cabaña, orando con todo
mi corazón.

El tiempo pasaba. Quince minutos. Media hora. *Señor
Jesús, logra penetrar su corazón...*

Cuarenta y cinco minuto. Repentinamente, la puerta se
abrió y Vonette salió brincando hacia mis brazos. Lágrimas
de gozo bañaban su cara y su sonrisa podía haber sustituido
al sol. No tuvo que decir una sola palabra, yo sabía lo que
había sucedido, y las lágrimas de gratitud pronto llenaron mis
ojos también.

Dios sí había respondido a mis oraciones. No según mis
planes, sino de una manera que le glorificara a Él y confir-
mara Su voluntad para nuestra vidas. Varios años después,

Vonette recordó por escrito lo que sucedió durante su conversación con la doctora Mears:

"La doctora Mears tenía una de las personalidades más vibrantes y entusiastas que he conocido. Ella me estaba esperando, y todo el personal de ese lugar de retiros, sin saberlo yo, habían estado orando por mi conversión. La doctora Mears me explicó que ella había enseñado química en Mineápolis y que podía comprender mi manera de pensar. (Mi segunda especialidad en la universidad había sido la química, todo tenía que ser práctico y funcional para mí. Esta era una de las razones por las cuales yo cuestionaba la validez del cristianismo.)

"Mientras ella me explicaba de una manera muy sencilla, usando la Palabra de Dios, la manera como yo podía estar segura de conocer a Dios, lo hacía usando terminología muy conocida para mí. Me explicó que así como una persona que va al laboratorio de química tiene que seguir la tabla de equivalencias químicas, de igual manera es posible entrar al laboratorio espiritual de Dios y seguir Su fórmula para conocerle y seguirle.

"Durante la hora siguiente, de manera muy amorosa, procedió a explicarme quién era Cristo y cómo podía conocerle personalmente. "doctora Mears", le dije, "si Jesucristo es el camino, ¿cómo lo puedo conocer?"

"La doctora Mears me respondi:, "En Apocalipsis 3:20 Cristo dice: "He aquí yo estoy a la puerta y llamo; si alguno oye mi voz y abre la puerta, entraré a él, cenaré con él y él conmigo". Recibir a Cristo simplemente es cuestión de entregar por completo tu vida, tu voluntad, tus emociones y tu intelecto, a Él. San Juan 1:12 dice: "Mas a todos los que le recibieron, a los que creen en su nombre, les dio potestad de ser hechos hijos de Dios".

"Cuando la doctora Mears terminó, yo pensé, *si lo que ella me dice es absolutamente verdadero, no tengo nada que perder y todo que ganar.* Incliné mi cabeza y oré, pidiéndole a Cristo que entrara a mi vida. Ahora, al ver hacia el pasado, me doy cuenta que en ese momento, mi vida comenzó a cambiar.

"Dios se hizo realidad en mi vida. Por primera vez estaba lista a confiar en Él. Tuve conciencia que mis oraciones iban más allá del techo. Ya no tendría que tratar de amar a las personas, parecía que había un amor que fluía desde adentro de mí que yo no tenía que producir.

"Dios añadió una nueva dimensión a mi vida y me volví tan entusiasta como Bill, la doctora Mears y los demás estudiantes, tan dispuesta como ellos a compartir a Cristo con otros."

A través de los años he orado intensamente por cientos de personas, y aunque muchos han recibido a Cristo, otros no lo han hecho. Así que me puedo identificar con aquel creyente preocupado cuyo corazón sufre por la salvación de un amigo y un ser querido. De mi experiencia personal y estudio de la Palabra de Dios, puedo asegurarle que el punto clave de partida para traer a un ser querido al Señor es la oración.

DIOS NO QUIERE QUE NADIE PEREZCA

Tal como Jesús oró para que el Espíritu Santo obrara en las vidas de sus discípulos, nosotros podemos orar que el Espíritu Santo convenza a un no-creyente y le dé un fuerte deseo por los caminos de Dios. La Palabra de Dios nos asegura que "Dios no desea que nadie perezca sino que todos procedan al arrepentimiento" (2 Pedro 3:9). Dios desea el alma de su ser querido, amigo o vecino aun más que usted mismo.

Sin embargo, algunas veces, en Su tiempo, ya que Él es soberano, escoge esperar hasta que las oraciones de un creyente preocupado desaten el Espíritu Santo en el corazón de esa persona. Como alguien ha dicho: "La oración no es el conquistar la indisposición de Dios, sino el disfrutar de Su buena voluntad".

Sin embargo, ¿por qué es que a veces parece tomar tanto tiempo en que Dios conteste nuestras oraciones? ¿Por qué permite que una persona no cristiana continúe en la oscuridad cuando nuestras oraciones son tan urgentes?

CINCO RAZONES POR LAS CUALES SUS ORACIONES PUEDEN NO SER CONTESTADAS

Veamos cinco razones importantes por las cuales sus oraciones a favor de sus amigos y seres queridos podrían no ser contestadas de acuerdo a sus deseos. Luego discutiremos cinco pasos positivos que debemos tomar para estar seguros que sus oraciones son efectivas.

1. Tal vez usted no está en el "terreno de la oración"

Puede haber pecado inconfeso en su vida. El Salmo 66:18 nos dice que "Si en mi corazón hubiese yo mirado a la iniquidad, el Señor no me habría escuchado". Suena duro, pero es una ley básica de la relación del hombre para con Dios. Si nos hemos subido de nuevo en el trono de nuestras vidas por tener pecado inconfeso (actitudes no bíblicas de acciones o desobediencia) nos hemos apartado de la comunión con Dios. Aún está dentro de nuestras vidas, pero espera que restauremos la comunión (recuerde que nos ha dado la libertad de escoger). Él no escuchará la oración de la persona que guarda pecados inconfesos en su corazón, a menos que sea una oración de confesión.

2. Puede estar orando con incredulidad

Muchos cristianos le ruegan a Dios, orando con gran pasión casi todos los días, pero con el pasar del tiempo, su fe en los milagros de Dios disminuye. A veces son aún engañados en pensar que Dios no ha escogido a sus seres queridos para Su reino. Este tipo de pensamiento causa confusión, cansancio en la oración y aun rebeldía en el creyente.

3. Su estilo de vida puede ser un testimonio negativo.

Sin darse cuenta, el creyente que ora puede él mismo ser un obstáculo para la salvación de un ser querido. En oración haga una sincera autoevaluación de sí mismo:

- ¿Eres inconsistente en su caminar personal con el Señor?
- ¿Frecuentemente habla usted negativamente de los demás o ve la vida con un espíritu negativo?
- ¿Ha ofendido a algún amigo de alguna manera y no ha pedido perdón o no ha hecho restitución?
- ¿No maneja usted sus finanzas personales de manera responsable, pagando tarde sus cuentas o tomando decisiones poco sabias?
- ¿No ha mantenido sus propiedades en buen estado? ¿No se viste de manera adecuada?
- ¿Está continuamente hostigando y discutiendo con sus seres queridos sobre cosas espirituales? ¿O es su relación positiva y amorosa?

● ¿Refleja su vida un cristianismo legalista autojustificado? ¿O presenta usted un modelo positivo y bíblico a la vista de los demás?

4. Tal vez no está obedeciendo la guía del Señor en las oportunidades de testificar de Cristo.

Muchos cristianos oran fervientemente por un amigo o ser querido que no es cristiano, pero desaprovechan incontables oportunidades de presentarle el evangelio directamente a esa persona. Un hombre me dijo: "Estoy orando fuertemente por un amigo de nosotros. Nos vemos a menudo, pero no quiero decirle nada; podría pensar que lo estoy presionando y arruinaría la posibilidad de que recibiera a Cristo en el futuro".

En lugar de considerar acertadamente que esos tiempos juntos eran citas divinas, él, como muchos otros cristianos bien intencionados, esperaba que su amigo absorbiera el cristianismo por ósmosis. O, que otra persona, en otro lugar, en otro día, llevara a su amigo al Señor. Bien podría ser que Dios le estuviera presentando la oportunidad de ser él la persona que diera las buenas nuevas a su amigo, pero escogió no oír la dirección de Dios.

Si usted está en una situación similar, considere lo siguiente: ¿Qué es lo mejor y lo más amoroso que puede usted hacer? Indudablemente que es compartir con su amigo una presenta-ción lógica y directa del evangelio de Cristo...o es esperar que quizás algún día su amigo llegue a ser cristiano por sí mismo?

5. El momento soberano de Dios tal vez no sea el mismo que el suyo.

Ésta puede ser la razón más difícil de comprender por que la lógica humana parecería indicarnos que Dios querría que nuestros amigos y seres queridos entraran a Su reino tan pronto como fuera posible. Sin embargo, por razones que sólo Dios puede explicar, Su tiempo es diferente que el nuestro. Yo quería que Vonette le recibiera desde el momento que le conté por primera vez de mi propia decisión por Cristo. Yo quería que mi padre aceptara a Cristo aquélla primera visita a Coweta, pero, a pesar de mis intensas oraciones, Dios escogió un tiempo diferente.

CÓMO ORAR POR SUS AMIGOS Y SERES QUERIDOS

Dios nos ordena que oremos sin cesar y que nos dediquemos a la oración (1 Tesalonicenses 5:17 y Colosenses 4:2). La oración es parte fundamental de nuestra vitalidad espiritual y de nuestro testimonio permanente de Cristo. Como Louis Evans Jr. escribió: "El hombre que se arrodilla ante Dios puede pararse ante cualquier cosa".

A través de la energía del Espíritu Santo de Dios, usted puede convertir esas cinco razones para que nuestras oraciones no sean contestadas en cinco peldaños de su fe. Mientras ora por sus amigos, seres queridos, vecinos y colegas:

1. Esté seguro de ser cristiano y que no hay pecado inconfeso en su vida.

¿Ha realmente recibido a Cristo como su Salvador y Señor personal? Este, por supuesto, es el primer paso. Al invitarle a tomar el control de su vida, usted puede estar seguro que Él está dentro de usted y que se ha trasladado del reino de la oscuridad al reino de luz.

Puesto que Dios no escucha la oración de un corazón pecaminoso, es vital que aplique los principios de la "respiración espiritual", momento a momento, día tras día. Estudie los apéndices B y C para asegúrarse que comprende como "exhalar las impurezas" (confesar el pecado) e "inhalar lo puro" (apropiarse del perdón y la limpieza que Dios promete). A medida que respire espiritualmente, la comunión con Dios será restaurada y sus oraciones serán contestadas.

2. Ore con fe, creyendo que Dios hará lo que usted le está pidiendo.

Dirigí a la apesadumbrada madre con cuya historia comencé este capítulo, junto con una amiga suya, a una habitación más tranquila, alejada de la multitud. Hablamos durante algu-

nos momentos acerca de sus oraciones por su hijo descarria-
do, y pronto se hizo aparente que tal vez parte del problema
era la manera en que ella estaba orando.

"He orado cada día", me decía llorando. "Oro sin cesar.
Le he rogado a Dios cada día que haga volver a Julio..."

Hundió su cara en sus manos, sollozando, mientras su
amiga ponía un amoroso brazo alrededor de su hombro.

"María", comence: "déjeme hacerle una pregunta. ¿Cree
usted que Dios quiere que Julio llegue a ser cristiano?"

Levantó de repente su cara, sus ojos muy abiertos e
incrédulos. "Por supuesto que sí", sollozó. Sacó un pañuelo
de su cartera y se limpió los ojos.

"Yo sé que usted lo cree", le aseguré. "Pero, ¿ha estado
orando de acuerdo a la Biblia?"

Suspiró dándole vueltas al pañuelo tratando de encontrar
un lugar seco. "Sí, oro sin cesar".

"María, se requiere más que eso. Volvamos por un momento a la Santa Palabra de Dios para obtener seguridad. En
primer lugar, podemos apropiar personalmente la promesa de
San Juan 3:16 "porque de tal manera amó Dios a Julio que ha
dado a su Hijo unigénito para que si Julio cree, no se pierda
mas tenga vida eterna".

"También apropiemos en manera personal 2 Pedro 3:9:
"Dios no quiere que ninguno (incluyendo a Julio) perezca,
sino que todos (todos incluye a Julio) procedan al arrepentimiento". 1 Timoteo 2:3,4 dice: "Dios nuestro Salvador desea
que todos los hombres (todos los hombres incluye a Julio)
sean salvos y vengan al conocimiento de la verdad". María,
¿usted cree esto, verdad? ¿Desea hacer suyas estas promesas
para Julio?"

"Sí"

"Dios quiere que Julio se arrepienta más que nosotros.
Entonces, la salvación de Julio, es la voluntad de Dios. ¿Cree
esto?"

Por primera vez vi un leve gesto de sonrisa aparecer en
una esquina de su temblorosa boca. "Sí, lo creo".

"Qué bueno. Ahora, 1 Juan 5:14 y 15 nos enseña que si pedimos cualquier cosa de acuerdo a la voluntad de Dios, El nos escucha y nos responde. Hagámonos de nuevo esta pregunta: ¿Es la voluntad de Dios que Julio venga al Señor? ¿No es Cristo quien no desea que nadie perezca?"

Su sonrisa se hizo más grande a medida que comenzaba a ver las promesas de la Escritura. "Es la voluntad de Dios que Julio se arrepienta", dijo con firmeza.

"¿Y si usted ora de acuerdo a la voluntad de Dios?"

"Dios me escuchará y me responderá".

"Importa cómo usted se sienta emocionalmente?"

"No, Él me contestará".

"¿Será siempre de acuerdo a su programa?"

"No".

"Así que ¿en base a qué puede usted clamar y esperar la entrega de Julio a Cristo?"

"Al hecho de que la Palabra de Dios es digna de confianza".

"¡Así es!", le dije para animarla. "Así que comprometámonos en oración, basado la autoridad de la Escritura, que por fe en la Palabra de Dios, reclamamos a Julio para el reino de Dios".

Juntos, María, su amiga y yo, oramos pidiéndole a Dios que cambiara el corazón de Julio y le llevara a tomar una decisión por Cristo. Cuando terminamos de orar, yo tenía aún una idea más para ella.

"María, ahora déjeme hacerle otra pregunta -y esto me lleva a lo que estaba diciendo acerca de orar usando la Biblia. Si usted fuera Dios, ¿le gustaría que alguien continuamente le estuviera pidiendo y rogando, día tras día, algo que usted ya le prometió? ¿O preferiría que esa persona le pidiera una sola vez y de allí en adelante dijera: "Gracias por lo que harás para contestar de acuerdo a Tu promesa en la Escritura".

"Yo, yo creo que tanto rogar y pedir sería como un insulto".

"Yo también lo creo así, María. La Biblia dice que sin fe es imposible agradar a Dios, y que todo lo que no es de fe es pecado. Ahora bien, las lágrimas no tienen nada de malo, es más, se nos amonesta a derramar lágrimas por los perdidos. Hay veces cuando debemos orar con todas las energías de nuestro corazón, pero Dios quiere que oremos en fe, confiando que Él responderá de acuerdo a Sus promesas".

Ese día María y su amiga se fueron con un peso menos sobre sus hombros. Se habían determinado confiar en Dios que cambiaría a Julio. Casi dos años después, recibí una carta de ella anunciándome que Julio había entregado su vida a Cristo y que era un hombre cambiado.

¿Está usted ansioso de que sus amigos y seres queridos reciban a Cristo? Si es así, comience a orar en fe hoy mismo.

3. Esté seguro que su estilo de vida refleja a Jesucristo.
¿Cómo podemos estar seguros que pertenecemos a Jesús? "Y en esto sabemos que nosotros le conocemos, si guardamos sus mandamientos." (1 Juan 2:3)

Si alguna de las preguntas que reflejan nuestro estilo de vida, que le hicimos anteriormente, describen su vida o si el Espíritu Santo le señala áreas en donde sus palabras, acciones o actitudes son inconsistentes con su caminar con el Señor, pídale a Dios que le cambie esos patrones negativos. "Caminar en el Espíritu" significa permitir que el Espíritu del Señor le llene de los atributos de Jesucristo.

Pídale a Dios que le haga ser una persona amorosa, positiva, honrada y cuidadosa en todos los aspectos de su vida. Pídale que le recuerde rápidamente cuando usted vuelva a tener un patrón de conducta que muestre un testimonio negativo. (Vea el apéndice C. "Cómo Caminar en el Espíritu", para obtener instrucciones en esta área tan importante).

4. Hable de Cristo, según se presenten las oportunidades.
Alguien ha dicho: "La oración no es tener una discusión con Dios para persuadirlo que mueva las cosas a nuestro favor, sino un ejercicio por medio del cual el Espíritu Santo nos capacita para movernos por Su camino." Muchas veces esto es lo que sucede, al orar por la salvación de nuestros amigos y seres amados. Al orar por otros nos preparamos y

capacitamos para darle testimonio verbal a esa misma persona, si solamente obedecemos el impulso de Dios.

¿Será que Dios no ha querido contestar su oración porque usted ha rehusado ser el portador de Su mensaje? Usted posee las más grandes noticias que se hayan publicado. Usted ha estado orando por esta persona. ¿Habrá una razón bíblica por la cual usted no debe explicar con claridad estas buenas noticias a su amigo o ser amado?

La siguiente vez que usted esté a solas con esta persona, considérela como una cita divina, una oportunidad que Dios le ha dado específicamente para que usted le comparta el evangelio con confianza. Recuerde: El éxito al testificar es simplemente tomar la iniciativa de compartir a Cristo en el poder del Espíritu Santo, dejando los resultados a Dios.

5. Confíe en los tiempos del Señor.

Su amigo o ser amado le puede sorprender y puede aceptar a Cristo como Salvador la primera vez que lo escuche. O, él o ella posiblemente no responda positivamente en la primera oportunidad. Continúe orando dándole gracias a Dios por fe de que Él va a responder de acuerdo a Su voluntad expresada. Continúe teniendo compañerismo con la persona para mostrarle que usted le ama incondicionalmente. Concienzudamente modele la vida cristiana positiva y victoriosa a través de sus actitudes, acciones y palabras. Según lo guíe el Señor, hable acerca de Jesús en sus conversaciones, sin titubeos ni vergüenza.

Usted ha plantado la semilla. Si las promesas de Dios son verdaderas, Él cosechará la semilla en Su tiempo soberano. Él puede usar a alguien más o puede atraer a su ser querido en alguna manera especial. Así que siga orando, amando y confiando.

EL FUNDAMENTO DIARIO

Haga de la oración el fundamento diario para su fe en Cristo Jesús. No cometa el error de orar simplemente para satisfacer su propia intimidad con el Señor, o por la larga lista de "cosas" que siempre le pedimos al Señor. Debemos pedir diariamente por las almas de nuestros amigos y seres queridos, pidiéndole a Dios que nos indique qué papel desea Él que juguemos en la exposición de Su plan para sus vidas.

Al mismo tiempo, debemos estar en una actitud constante de oración por aquellos que hemos de conocer en forma casual, dándonos cuenta que Dios desea que proclamemos Su mensaje a todos los que deseen escuchar. Al orar por la sabiduría y poder del Espíritu Santo, y porque las personas a quienes les hablemos tengan sus mentes y corazones abiertos, Dios bendecirá en verdad nuestros esfuerzos de compartir Sus bondades con ellos.

RESUMEN

● Dios no desea que ninguno se pierda. Esto incluye amigos especiales y seres amados por los cuales usted ha estado orando por años.

● Es voluntad de Dios que sus amigos y seres amados le reciban. Sin embargo, Su voluntad no funciona de acuerdo a los planes suyos ni a su tiempo.

● Existen cinco razones por las cuales sus oraciones posiblemente no sean contestadas: (1) Tal vez usted tiene pecado sin confesar en su vida; (2) Usted puede estar orando en incredulidad; (3) Su estilo de vida puede ser un mal testimonio de Cristo; (4) Tal vez usted no está siguiendo la dirección de Dios en las oportunidades de testificar de Cristo; (5) El tiempo soberano de Dios puede que no sea el mismo de usted.

● Debemos orar en fe, creyendo que Dios atraerá a nuestros seres amados a Sí mismo. Haga oración por su salvación una sola vez; de allí en adelante, déle gracias a Dios en fe que Él honrará su petición de acuerdo a Su tiempo.

● La oración exitosa es sencillamente pedirle a Dios que obre de acuerdo a Sus promesas, dejándole los resultados a Él.

PARA REFLEXIONAR Y ACTUAR

1. ¿En cuáles amigos especiales o seres amados ha usted pensando recientemente? ¿Alguna vez ha sentido que determinada situación no tenía "remedio"?

2. ¿Qué principios ha aprendido usted de este capítulo para ayudarle a orar y testificarles de Cristo a estos amigos? Piense en cada persona por nombre y aplique los principios que ha aprendido a cada situación.

3. Considere sinceramente las cinco razones sugeridas por qué es posible que las oraciones no sean contestadas: (1) ¿Existen en su vida pecados que no han sido confesados? (2) ¿Ha estado usted orando en incredulidad? (3) ¿Es su estilo de vida un testimonio negativo? (4) Ha dejado usted de obedecer la dirección de Dios en las oportunidades de testificar de Él? (5) Está esperando que Dios obre de acuerdo al tiempo suyo?

¿Le está revelando el Espíritu Santo algún área de problema en su vida? Tome los cinco pasos recomendados en este capítulo para asegurarse que sus oraciones no encuentran obstáculo.

4. Continúe orando sin cesar, pero en vez de rogar y suplicarle al Señor, déle gracias y alábele por fe que Él va a contestar sus oraciones en Su tiempo perfecto.

Cinco pasos que le ayudarán a presen-
tar a Cristo en la conversación

❖ 7 ❖

Cómo dirigir la conversación hacia Jesús

"**H**oy tuve una gran oportunidad de hablar con alguien de Jesucristo", me dijo una vez una señorita, "pero no se me ocurrió una manera para comenzar. Me sentí muy incómoda. ¿Cómo se puede dirigir la conversación hacia Jesucristo, de manera que sea natural y no parezca forzada?"

Algunas personas prácticamente grita:n "¡Arrepiéntanse!", como si estuvieran en una esquina de un barrio del centro de la ciudad.

Otros van tan cautelosos hacia las cosas espirituales, tan cautelosos, que la conversación nunca llega al tema de Jesucristo.

Personalmente no me siento cómodo con el primer acercamiento. Sé por experiencia que el segundo puede desviarse tan fácilmente, que el evangelio termina perdiendo después de hablar del clima, el fútbol o las últimas aventuras de Juanito en la escuela.

Debe existir un feliz término medio, una manera de voltear la conversación hacia Cristo que sea natural y sensitiva, pero que al mismo tiempo ayude a la persona con quien habla a enfrentar su necesidad del Salvador. En los capítulos 8 y 9 les mostraré una presentación del evangelio directa y muy probada, que usted puede usar para presentar a Cristo a otras personas. En este capítulo, examinaremos maneras efectivas para dirigir la conversación hacia la presentación del evangelio.

LA EVANGELIZACIÓN POR AMISTAD VERSUS LA EVANGELIZACIÓN POR INICIATIVA

Para la persona con la cual usted está en contacto frecuente, su acercamiento, por lo general, debe ser menos directo. Es importante tomar tiempo para desarrollar la relación de amistad y confianza, mostrar con palabras y hechos que usted le ama y se interesa en él o ella. Este acercamiento se le conoce como "evangelización por amistad", y tiene su lugar. Es especialmente importante entre miembros de la familia, pero también se recomienda para otras personas con las cuales tenga relaciones cercanas; la evangelización por amistad exige un acercamiento que "va despacio" que a base de amor lleva a la persona hacia el Reino de Dios.

Sin embarago junto con sus ventajas también tiene dos grandes problemas. En primer lugar, muchos cristianos apoyan la filosofía de la evangelización por amistad a tal grado que casi nunca comparten su fe con otros porque "nuestra relación aún no está lo suficientemente madura". Luego, cuando ya sienten que la relación está lo suficientemente madura, tienen miedo de decir algo que arruine la relación. Para justificar este acercamiento, o falta de acercamiento, deciden "esperar a que el no-creyente me pregunte a mí sobre mi fe personal", y simplemente tratan de modelar el cristianismo a través de un testimonio no-verbal. Como resultado, el evangelio muchas veces es desechado por el camino.

El segundo problema de la evangelización por amistad es que los cristianos también la pueden usar como excusa para nunca compartir su fe. Algunos autores cristianos han escrito que la "evangelización por iniciativa" (compartir de Cristo en encuentros casuales, saturaciones puerta a puerta, etc.) siempre hará que el no-cristiano la rechace porque no se puede presentar a Cristo sin tener una base de amistad y confianza.

A través de toda la Escritura encontramos la evangelización por iniciativa modelada para nosotros. Jesús tuvo solo pocos momentos con la mujer samaritana que conoció en el pozo, pero tomó la iniciativa en hablarle sobre el agua viva. En el breve encuentro de Felipe con el eunuco etíope, llevó a ese extraño al Señor. Pablo escribió: "a quien anunciamos, amonestando a todo hombre (y mujer), y enseñando a todo hombre (y mujer), en toda sabiduría, a fin de presentar perfecto en Cristo Jesús a todo hombre (y mujer)." (Colosenses 1:28).

Tal como lo he sugerido, creo que hay un lugar para la evangelización por amistad, y me equivocaría si dijera que la filosofía de la evangelización por amistad no es bíblica. De igual manera, aquellos que mantienen que ésta es la única manera de compartir a Cristo y que la evangelización por iniciativa no es bíblica ni efectiva, están igualmente equivocados. Una lectura cuidadosa del Nuevo Testamento deja bien en claro que la evangelización por iniciativa es la intención de nuestro Señor cuando nos ordena "ir por todo el mundo a predicar el evangelio a toda criatura".

Ambos acercamientos tienen su lugar apropiado en la tarea de predicar el evangelio. Sin embargo, estoy convencido que si fuera a errar en compartir de Cristo, el Señor preferiría que errara en el lado de tomar la iniciativa que en no compartir del todo.

"AEIOU": CINCO PASOS IMPORTANTES

Veamos ahora cinco importantes pasos para dirigir la conversación hacia Cristo. Estos pasos serán de ayuda cuando esté compartiendo con una persona cercana o con un contacto casual. Para ayudarnos a recordarlos, usaremos el acróstico "AEIOU".

A Amor
E Establezca amistad
I Ir al grano - Hable sólo de Cristo
O Oportunidad de usar testimonios (si el tiempo lo permite).
U Una secuencia de preguntas

Amor

Su motivación debe ser el amor y la otra persona debe verlo en sus ojos y en su expresión facial, escucharlo en su voz y demostrarlo en sus actitudes y acciones. Si la persona siente que usted le está hablando por obligación o para obtener un trofeo espiritual, podría enfriarse rápidamente. Pablo escribió: "el amor sea sin fingimiento" (Romanos 12:9).

Para ayudarnos a obedecer ese mandamiento, Dios promete en 1 Juan 5:14, 15 que si pedimos alguna cosa de acuerdo a Su voluntad, Él nos escuchará y nos responderá. Así que, para estar seguro de buscar a las personas con amor genuino, pídales a Dios que su amor fluya a través de usted.

El primer fruto en la lista del fruto del Espíritu es el amor (Gálatas 5:20). Usted puede confiar que si Dios le controla a través de Su Santo Espíritu, le llenará con amor por los demás. Usted puede comunicar ese amor interesándose sinceramente en la otra persona a través de una conversación amistosa, el contacto visual, una expresión facial amistosa y haciendo preguntas para que la conversación siga adelante.

Establezca amistad

Tómese el tiempo para establecer la amistad. En algunas situaciones esto podría tomar tan sólo algunos minutos; uno o dos comentarios breves para expresar amistad. En otras ocasiones, como en un avión o con una persona conocida, tal vez querrá tomar más tiempo para preguntar a la otra persona sobre su trabajo, sus intereses, etc.

Cuando capacitamos equipos que visitan hogares, normalmente les aconsejamos que tomen unos cinco minutos para hablar de temas familiares con los dueños de casa, antes de hablar del evangelio, ya que los miembros del equipo son invitados no esperados en la casa de la persona. Sea sensible al ambiente que le rodea y a las limitaciones de tiempo de la persona.

Ir al grano- Hablar de Cristo

Un error común entre cristianos que están comenzando a compartir su fe es que permiten que la conversación se vaya alargando mucho en otro tema. Generalmente es mejor no hablar sobre religiones, denominaciones, iglesias y personalidades. Muchas personas tienen recuerdos amargos, reales o imaginarios, de su pasado, relacionados con estos temas secundarios. Si usted se mantiene concentrado en la persona de Jesucristo, no podrá evitar que la otra persona se sienta atraída hacia Él.

Un taxista en Australia me dijo, "me aparté de la religión en la Segunda Guerra Mundial. No quería saber nada de un Dios que permitiera que las personas se maten unas a otras".

"Espere un momento", le dije, "usted está acusando a Dios de algo de lo cual el hombre es responsable. Es la maldad del hombre, su pecado, lo que le lleva a odiar, robar y matar".

Le expliqué la diferencia entre religión, que es la búsqueda de Dios por el hombre, y el cristianismo, que es la revelación de Dios acerca de Sí mismo al hombre a través de Jesucristo. Al concentrar la conversación en Cristo, la actitud de este taxista cambió. Después de llegar a nuestro destino, oró conmigo, pidiendo a Cristo que entrara en su vida.

Oportunidad de usar testimonios (si el tiempo lo permite)

La palabra testigo literalmente significa dar testimonio de hechos o eventos. En otras palabras, contar la verdadera historia de cómo Jesucristo ha cambiado su vida y las vidas de otros.

Los cristianos del Nuevo Testamento daban testimonio contando historias de cómo Jesucristo murió y resucitó de los muertos, cómo cambió sus vidas y lo que ofrecía a todo aquel que le recibía. Pablo relató su dramática experiencia de conversión. Su testimonio a través de historias no sólo captó la atención de las personas que le escuchaban, sino que también les mostró de manera vívida, como ellos también podrían entregarse al Señor.

Las historias son uno de los métodos más efectivos de enseñar. Recuerde el sermón más reciente que escuchó. ¿Qué recuerda mejor: el concepto sobre el cual se basó el mensaje o las historias que el pastor usó para ilustrar los conceptos?

En la Cruzada Estudiantil y Profesional para Cristo, enseñamos a nuestros obreros y a todos los que reciben nuestros cursos, cómo escribir, mejorar y memorizar un testimonio de tres minutos. Debe cubrir tres puntos básicos: (1) Cómo era su vida antes de recibir a Cristo, (2)Cómo recibió a Cristo, y (3) Cómo ha sido su vida después de recibir a Cristo. Animamos a todos a que sean lo más específico posible, usando el buen humor si es apropiado y siendo muy claros a la hora de explicar cómo invitaron a Cristo en sus vidas (de manera que si la persona que escucha no tiene otra oportunidad , él sabría, por su testimonio de tres minutos, cómo puede recibir a Cristo como Salvador).

Permítame animarle enérgicamente a que escriba y memorice su propio testimonio de conversión a Cristo, para decirlo en tres minutos. Practique en darlo en forma de conversación, tal vez con un amigo. Se sorprenderá las veces que le será de utilidad en oportunidades de hablar en público o de testificar de Cristo, y lo efectivo que puede ser para ayudarle a pasar de la conversación casual al evangelio.*

Una secuencia de preguntas
Una de las maneras más efectivas que hemos encontrado de presentar a Cristo en una conversación es a través de preguntas dirigidas. Pueden ser usadas ya sea que usted tenga

---

* Para ejemplos de testimonios de conversión a Cristo de tres minutos, vea la historia de Vonette Bright en los capítulos anteriores y la historia de Bill Amstrong en el capítulo 8 y el apéndice D.

unos pocos minutos con alguien o ya sea que usted conozca a esa persona desde mucho tiempo atrás.

El primer grupo de preguntas que compartiré con usted es bueno usarlas después que un no-creyente ha asistido a un evento cristiano (servicio en una iglesia, conferencia, concierto, seminario, etc.) o si usted le ha dado al no cristiano una revista, libro o casete cristiano, Después del evento, o después que la persona haya tenido la oportunidad de leer o escuchar lo que usted le ha dado, pregunte:

1. "¿Qué le pareció el concierto?" (o programa de la iglesia, conferencia, libro, etc.)

2. "¿Tiene sentido para usted?"

3. "¿Ha hecho el maravilloso descubrimiento de conocer a Cristo personalmente?"

4. "Le gustaría hacerlo, ¿no es verdad?" O, "¿Quiere hacerlo?"

Escuche atentamente las respuestas de la persona a cada pregunta, luego haga la pregunta siguiente. Usted verá que cada pregunta subsecuente es apropiada no importa cuál haya sido la respuesta dada a la pregunta anterior. La cuarta pregunta provee una introducción natural a la presentación del evangelio, la cual usted aprenderá en el capítulo 9.

Hemos enseñado a miles de estudiantes cristianos de secundaria, universitarios y profesionales cómo acercarse a sus amigos con estas preguntas después de un concierto, drama u otro evento cristiano. Por ejemplo, después de una presentación de André Kole, el ilusionista cristiano, usted podrá ver decenas de pequeños grupos de jóvenes en todo el auditorio; son los estudiantes cristianos tomando la iniciativa preguntando a otros, "¿Qué le pareció la presentación?" "¿Tenían sentido sus comentarios acerca de Jesucristo?" "¿Ha hecho el maravilloso descubrimiento de conocer personalmente a Cristo?" "¿Le gustaría hacerlo, verdad?"

En la mayoría de los casos, la persona que responde "no" o "no estoy seguro" a la tercera pregunta dirá "sí" o "tal vez" en la cuarta. Así, la puerta se abre para el evangelio.

En medio de un apretado viaje de conferencias por todo el país, estaba sentado en medio de dos soldados uniformados en un avión. Cansado, saqué dos copias de la carta Van Dusen, se las di a cada uno y les dije: "¿Serían tan amables de leer este folleto mientras me doy una siestecita? Después me gustaría conocer su opinión sobre él".

Me dormí por unos veinte minutos y cuando desperté vi que ambos habían leído la carta. Me sentí un poco incómodo hablando con estos hombres a ambos lados de mi asiento, pero a pesar de las circunstancias, pude hacerle las cuatro preguntas a cada uno.

Los dos me respondieron a la cuarta pregunta: "Si, me gustaría". Qué emocionante fue presentarles el mensaje del amor y perdón de Dios a ambos, y que los dos recibieran a Cristo cuando oramos juntos.

OTRAS PREGUNTAS ÚTILES

De nuevo, quiero enfatizar que sin la motivación correcta (el amor), estas preguntas sonarían como un interrogatorio. Es importante que usted las haga con gentileza, con una expresión facial amigable y un tono amoroso en su voz.

Otras preguntas que han comprobado ser efectivas en dirigir la conversación hacia Jesucristo incluyen:

- "¿En su opinión, cuál es la necesidad espiritual más grande hoy en día?"
- "¿Dónde se encuentra usted ahora en su peregrinaje espiritual?"
- "¿Le gustaría conocer personalmente al Dios a quien ha estado usted orando durante toda su vida?"(Ésta es apropiada con una persona de trasfondo religioso pero que no conoce a Cristo personalmente).
- "¿Si usted muriera este día, sabe con seguridad si iría al cielo?"

Si dice "sí", "¿en qué basa su seguridad?"

Si dice "no", "¿le gustaría estar seguro(a)?"

Le animo que se memorice estas preguntas. Practíquelas hasta que le salgan de manera natural y confiada. Luego, a medida que el Señor le guíe, póngalas en práctica en sus conversaciones para ayudar a llevar a otras personas a hacer los comentarios apropiados sobre el evangelio.

RECUERDE "AEIOU"

Ame a las personas de manera genuina. *Establezca* la amistad. *Ir* al grano y hable de Jesús. *Oportunidad* de usar historias o testimonios personales de conversión a Cristo si el tiempo lo permite. *Use una secuencia* de preguntas para llegar a la presentación del evangelio. En el capítulo siguiente, le mostraré cómo nació la presentación particular del evangelio que yo uso, y por qué es tan eficaz hoy en día.

RESUMEN

● La evangelización por amistad tiene su lugar, especialmente entre amigos cercanos, compañeros de trabajo y miembros de la familia.

● Sin embargo, la evangelización por amistad también puede usarse como una fácil excusa para dejar de compartir el evangelio. Por lo tanto, es importante también utilizar el principio de la evangelización por iniciativa.

●Usted puede dirigir la conversación hacia Jesucristo de manera natural, usando el acróstico AEIOU:

Amor
Establezca la amistad
Ir al grano - Hable de Cristo
Oportunidad de usar testimonios (si el tiempo lo permite)
Una secuencia de preguntas

PARA REFLEXIONAR Y ACTUAR

1. ¿Ha permitido que la filosofía de la evangelización por amistad evite que usted comparta a Cristo cuando ha tenido la oportunidad de hacerlo?

2. Decida este día hacer de la evangelización por iniciativa su guía primordial para compartir su fe con otros.

3. Durante la próxima semana, aparte un tiempo para escribir su testimonio personal de conversión a Cristo de tres minutos. Luego memorícelo y practique compartiéndolo con otros.

4. Memorice las secuencias de preguntas sugeridas en este capítulo. Practíquelas con otro cristiano.

A veces hacemos el mensaje del evangelio tan complicado que no logramos comunicar las verdades esenciales de la Palabra de Dios

❖ 8 ❖

El poder de la sencillez

Después de una conferencia que dicté a un grupo de pastores, uno de ellos se quedó atrás hasta que yo había terminado de saludar a los demás. Finalmente, cuando el salón ya casi estaba vacío, se me acercó y se presentó conmigo.

"He testificado de Jesucristo por años", me dijo, con un poco de frustración en su voz. "Pero poca gente ha recibido a Cristo como resultado de mis esfuerzos. ¿Me podría decir qué estoy haciendo mal?"

"¿Qué les dice cuando busca presentar a Cristo a una persona?", le pregunté.

Luego procedió a explicar su presentación, la cual era larga, complicada y en tono de sermón. Yo sentí que debido a la gran cantidad de versículos que usaba y su extenso comentario de cada uno, confundía a la mayoría de las personas y evitaba que pudieran hacer una decisión inteligente.

"Permítame sugerirle que intente un experimento", le desafié. "Permítame dejarle un folleto evangelístico que es conciso, al grano, enfocado en Jesucristo. Úselo en todas sus oportunidades de testificar de Cristo durante los próximos treinta días y luego cuénteme qué sucede".

Apenas dos semanas después, me llamó. La voz al otro lado de la línea estaba llena de emoción. "¡Bill, apenas lo puedo creer! Simplemente leyendo el folleto a las personas, he visto más personas venir a Cristo en las últimas dos semanas que los que había visto en varios meses".

FRACASO EN LA COMUNICACIÓN

A veces a los cristianos no nos gusta admitirlo, pero muchas veces somos culpables de hacer nuestras presentaciones del evangelio tan aburridas y complicadas que fracasamos en comunicar las verdades esenciales de la Palabra de Dios. Hay tantos versículos donde escoger y tantos comentarios que podríamos añadir a esos versículos, que es difícil saber qué incluir y qué dejar para después.

Además, muchos de nosotros que hemos sido creyentes por muchos años tendemos a creer que ya superamos esas verdades tan sencillas como "de tal manera amó Dios al mundo..." y como resultado, intelectualizamos la presentación del evangelio.

Mi pastor amigo y miles de otros como él, han descubierto uno de los principios más dinámicos para testificar de Cristo con eficacia: el poder de la sencillez.

Estoy convencido que una de las razones de la fenomenal eficacia que vemos en el ministerio de tales hombres como Dwight L. Moody y Billy Graham es la sencillez de su mensaje. De manera consistente, estos hombres se han enfocado en Cristo usando algunas verdades fundamentales. Y su mensaje sencillo y consistente ha traído millones de personas al reino de Dios.

Hace unos años, uno de los intelectuales cristianos más renombrados me preguntó si podría compartir algunas de sus preocupaciones conmigo. Siempre había sido un verdadero amigo y lo amo y respeto muchísimo. Durante esta visita en particular, me dijo: "Bill, tú eres el líder de una de los movimientos cristianos más dinámicos en el mundo. Sin embargo, das la impresión de ser demasiado sencillo, casi antiintelectual. Necesitas ser más intelectual e impresionante en tus conferencias y escritos".

Consideré sus palabras por un momento, pero sabía cuál sería mi respuesta. "¿Alguna vez has pensado", le respondí, "que Jesucristo habló de manera tan sencilla que hasta las masas analfabetas le respondieron positivamente?"

Su mandíbula cayó casi hasta el suelo. Parecía asustado, como si le hubiera golpeado. Después de meditarlo por un momento, admitió: "Sabes, nunca lo había visto de esa manera... tienes razón. A veces nos enredamos tanto con nuestra doctrina y lenguaje que no pensamos en la comunicación verdadera".

Cuando Vonette y yo lanzamos el ministerio de la Cruzada Estudiantil y Profesional para Cristo en la universidad de California en Los Ángeles (UCLA), muy pronto nos dimos cuenta que los estudiantes universitarios, ya sea que estudiaran educación física o filosofía, no les impresionaba una presentación complicada y filosófica del evangelio.

Lo que les impresionaba era Jesucristo: quién es Él, lo que hizo por ellos y cómo le podían conocer personalmente. Así que, durante los primeros años del ministerio, hicimos un esfuerzo cuidadoso en hacer que nuestras presentaciones del evangelio fueran lo más claras y sencillas posibles.

Dios bendijo este esfuerzo. Vimos a estudiantes, líderes estudiantiles, atletas reconocidos nacionalmente, líderes de organizaciones estudiantiles, profesores y personal administrativo venir al Señor. Muchos de estos nuevos cristianos entraron a trabajar a tiempo completo para el Señor; otros proclaman abiertamente su fe en sus carreras y muchos se unieron a nuestro ministerio y comenzaron a reproducir este ministerio en otras universidades en todo el país.

"CANSANCIO POR REPETICIÓN"

Sin embargo, yo no me daba cuenta de la necesidad de ser consistentes y uniformes en la presentación del evangelio.

Durante la capacitación de obreros en el verano de 1956, uno de los oradores fue un sobresaliente consultor de ventas. Él enfatizó que todo vendedor de gran éxito debe desarrollar una presentación clara, sencilla y comprensible que pueda usar una y otra vez. Los vendedores lo llaman el principio de las tres SSS: sencillo, sencillo, sencillo. Luego nos advirtió que cuando un vendedor se cansa de oírse a sí mismo dar el mismo mensaje, desarrolla el "cansancio por repetición" y muchas veces cambia la presentación y pierde su efectividad.

Su siguiente afirmación me sorprendió. "De igual forma, para compartir a Cristo, debemos desarrollar una presentación sencilla, lógica y comprensible, tal como lo hace el vendedor de gran éxito", le dijo a la audiencia. "Y debemos mantenernos con nuestro mensaje y no ceder al cansancio por repetición".

No estaba seguro si estaba de acuerdo con él. Me parecía que Dios honraría la espontaneidad, compartir "según el Espíritu me guíe", más que usando un acercamiento "enlatado". Si su primera afirmación me sorprendió, lo que dijo a continuación casi me tumbó de mi silla.

"Su líder, Bill Bright, piensa que tiene un mensaje especial para cada uno de los grupos a los cuales se dirige. Ha ministrado entre los desvalidos, en cárceles y ahora a los universitarios y laicos. Nunca le he oído hablar, pero estaría dispuesto a apostar que tiene un solo mensaje para todos. Básicamente, a todos les dice la misma cosa".

Me arremoliné en mi asiento e hice un esfuerzo para que mi resentimiento no se mostrara en mi rostro. ¿Cómo podría yo, o cualquier persona verdaderamente comprometida a servir a Dios, no ser dirigido por el Espíritu Santo para hablar con originalidad en cada situación? ¿Y cómo es que este orador tiene el valor de avergonzarme de esta manera frente a mis coordinadores?

Cuando terminó la reunión, todavía me sentía irritado por el mensaje del orador. Sin embargo, al comenzar a reflexionar en las palabras exactas que yo usaba en las diferentes oportunidades al testificar de Cristo, me pregunté a mí mismo: ¿realmente comparto el mismo mensaje básico con todas las personas? ¿Es realmente mi mensaje tan sencillo?

¿GRAN PREDICADOR O GRAN SALVADOR?

Al poco tiempo de haber conocido a Cristo, escuché a un brillante orador hablar en la iglesia presbiteriana de Hollywood, había cautivado a la audiencia con su elocuencia. Puesto que yo había estudiado drama y oratoria en la escuela secundaria y la universidad, me parecía lógico que Dios me había escogido a mi para convertirme en un elocuente orador para el Señor. Antes de que pasara mucho tiempo, Dios envió a un hombre a hablarnos en el seminario y nos desafió con este pensamiento: "¿Cuando bajamos del púlpito, comentará la gente sobre lo elocuente que somos o sobre el gran Salvador al cual servimos?"

Esto rompió mi burbuja rápidamente. Tenía razón, por supuesto. Determiné que era más importante que la gente comentara sobre el Salvador al cual yo servía que sobre mis cualidades como gran predicador.

Así que después de aquella charla del vendedor en nuestra capacitación de verano, escribí mi presentación básica y me sorprendí al descubrir que tenía razón. Sin darme cuenta, había estado diciendo básicamente la misma cosa en todas mis oportunidades de testificar de Cristo, ya fuera con los presos en las cárceles, como con los desvalidos, con los estudiantes, con líderes de empresas o con profesores universitarios. Mi presentación del evangelio había sido eficaz en cada una de estas situaciones.

LAS CUATRO LEYES ESPIRITUALES

Lo que escribí esa tarde ahora se conoce como "El plan de Dios para tu vida", una presentación positiva de 25 minutos que le pedí a los coordinadores que memorizaran y usaran cuando testificaran de Cristo. En un año, nuestra eficacia combinada al compartir a Cristo se multiplicó dramáticamente.

Más adelante, sentimos la necesidad de una versión más pequeña, así que preparé un bosquejo que incluía versículos claves de la Escritura y diagramas. Nuevamente, le pedí a los coordinadores que lo memorizaran y, por muchos años, lo escribíamos al reverso de la carta Van Dusen al compartir a Cristo con otros. A medida que más y más laicos se inscribían en nuestros seminarios de capacitación, se hizo necesario que tuviéramos nuestra presentación disponible en forma impresa.

Así fue como nació el folleto de Las Cuatro Leyes Espirituales. Le ayuda al lector a ver cómo, así como hay leyes físicas que rigen el universo físico, así también hay leyes (principios) espirituales que gobiernan la relación del hombre con Dios. Los versículos claves ilustran la validez de estos principios y los sencillos diagramas ayudan al lector a aplicar estos conceptos a su propia vida.

No creemos que esta presentación del evangelio es la única manera de presentar a Cristo, ni que sea la mejor manera. Sin embargo, podemos dar testimonio que muchos millones de personas alrededor del mundo han recibido a Cristo como Señor y Salvador a través de esta presentación sencilla y directa. Millones de cristianos, incluyendo profesores de seminarios y pastores, han descubierto que este pequeño folleto les ha ayudado dramáticamente al testificar de Cristo. Aproximadamente mil quinientos millones de folletos se han impreso en los principales idiomas del mundo, y por lo menos cincuenta organizaciones cristianas han adaptado el folleto para su propio uso.

Además del popular folleto dorado titulado "¿Ha escuchado las Cuatro Leyes Espirituales?", ahora publicamos las Cuatro Leyes Espirituales con una portada verde brillante con el título "¿Le gustaría conocer a Dios personalmente?" El mensaje interior es básicamente el mismo, pero ahora las personas pueden escoger el acercamiento con el que se sienten más cómodos.

EL PODER DE LA SENCILLEZ

Hay poder en la sencillez. Por ejemplo, mi amigo Francisco tiene un primo de 21 años, un genio de las computadoras que le gusta razonar todo en términos científicos. El primo de Francisco le mencionó un día que había estado pensando sobre la existencia de Dios. "Sabes", le dijo Francisco, "creo que tal como existen leyes físicas que gobiernan la ciencia, también hay leyes espirituales que gobiernan la relación del hombre con Dios. Aquí tengo un folleto que explica todo esto".

Francisco leyó el folleto a su primo en voz alta, el cual pareció comprenderlo fácilmente. Este joven ávidamente hizo la oración sugerida al final y le pidió a Cristo que entrara en su vida, luego se llevó el folleto y condujo a su prometida a Cristo.

Hace pocos años, estaba de visita con unos apreciados amigos, un doctor y su esposa, y me pidieron que si le hablaba al hermano de ella sobre el Señor. "No es cristiano, pero es una gran persona", me explicaron. Es un respetado economista y uno de los principales empresarios del país. "Vamos a conseguirte una cita con él", me aseguraron.

Unas semanas después, cuando conocí a su hermano, hablamos por unos minutos acerca de las condiciones del mundo y la urgencia del momento en que vivimos. "Sabe", le dije, "el único que puede ayudarnos en esta crisis es Jesucristo".

Observé su rostro cuando me respondió. "Estoy de acuerdo con eso", me respondió.

"Tengo algo que mostrarle". Saqué un folleto de Las Cuatro Leyes Espirituales, lo puse de manera que lo pudiera leer conmigo y leí toda la presentación del evangelio. Después de cada principio, me decía: "tiene sentido. Estoy de acuerdo".

Leímos la oración sugerida y leí la pregunta: "¿Expresa esta oración el deseo de su corazón?"

"Sí lo expresa".

"¿Le gustaría hacer la oración en este momento?"

"Sí, me gustaría".

Así que juntos le pedimos al Señor que entrara en su vida.

Unos seis meses después, le visité en su oficina en la ciudad de Nueva York. "Sabe, desde que le conocí, mi vida ha tenido un cambio de 180 grados", me dijo sonriendo.

LA PRIMERA EXPERIENCIA DE UN PASTOR

Hay muchas historias más. Me acuerdo de un pastor reconocido nacionalmente quien había estado en el ministerio por años. Asistió a una reunión donde yo hablé acerca de caminar en el Espíritu Santo, y más adelante me dijo que ahora comprendía y podía personalizar el mensaje del Espíritu Santo por primera vez. Unos cinco meses más tarde me llamó, muy tarde en la noche, lleno de gozo porque recién había llevado su primera persona a Cristo.

Él es uno de los pastores más famosos en los Estados Unidos, y estoy seguro que miles han recibido al Señor en su iglesia y a través de su ministerio de radio, pero nunca había llevado a nadie personalmente a Cristo. Su hija había tomado nuestra capacitación, donde aprendió cómo usar Las Cuatro Leyes Espirituales, y luego le pasó la capacitación a él.

UN SENADOR RECIBE A CRISTO

El senador de los Estados Unidos Bill Armstrong de Colorado recordó en la revista *Worldwide Challenge* como el folleto de Las Cuatro Leyes Espirituales fue un factor en su decisión de recibir a Cristo:

A los veinticinco años fui elegido a la Cámara de Representantes y luego al Senado Estatal por ocho años. En 1972 fui elegido al Congreso de los Estados Unidos. Este tipo de éxito era a la vez desafiante y satisfactorio, pero a pesar de tales logros, mi vida estaba vacía.

Después de algunos años en Washington, mi esposa Ellen comenzó a estudiar la Biblia seriamente, reuniéndose con cristianos comprometidos que le llevaron a establecer una relación personal con Cristo. Cuando me explicó su nueva relación, me di cuenta que había descubierto algo muy valioso e importante que también podría ser de mucho valor para mí. Por primera vez comprendí que ser cristiano es mucho más que simplemente pertenecer a una iglesia o tratar de vivir una vida decente.

En noviembre de 1975, a través de la invitación de uno de mis colegas, escuché a Bill Bright dar una conferencia. Más adelante, el Doctor Sam Peeples, uno de los asociados de Bill en la embajada cristiana en Washington, me leyó el folleto de Las Cuatro Leyes Espirituales, explicándome cómo podía recibir a Cristo. Cuando oramos juntos, le pedí a Jesucristo que perdonara mis pecados y que fuera mi Salvador y Señor. Fue una decisión fácil de tomar porque sabía que algo vital hacía falta en mi vida, algo que sólo Cristo podría proveer.

Mi vida comenzó a cambiar inmediatamente, no en un momento específico, sino que gradualmente cada día. Lo más importante es que Cristo se convirtió en el centro de mi vida familiar. Yo deseaba ser un ejemplo a mi familia confiando en el Señor para todas nuestras preocupaciones diarias.

Mi relación con Cristo me ha dado una nueva perspectiva sobre el Congreso. Como senador, cada día hago oración por que Dios tome el control de mi vida para que mis juicios y decisiones sean favorecidas con Su sabiduría y discernimiento. Por supuesto, esto no quiere decir que todos los votos que emito reflejan necesariamente la voluntad de Dios, o que los votos del partido de oposición sean votos en contra de la voluntad de Dios. Por mi parte, me esfuerzo por hacer lo que yo creo que es lo correcto dejando que Dios me guíe cada día.

INCLUYE TODAS LAS VERDADES ESENCIALES

Ocasionalmente, he escuchado decir que la presentación de Las Cuatro Leyes Espirituales es demasiado sencilla, que algo tan breve debe omitir algunos conceptos esenciales. Durante muchos años, en nuestras conferencias para estudiantes, laicos y pastores, le pedíamos a los participantes que nos ayudaran a enlistar todo lo que ellos creían que una persona debería saber para tomar una decisión inteligente por Cristo.

Generalmente recibíamos entre 25 y 50 sugerencias, las cuales escribíamos en el pizarrón. Las listas invariablemente incluían:

El hombre es pecador.

El hombre está perdido.

Dios nos amó tanto que dio a su único Hijo.

Cristo murió por nuestros pecados.

Cristo resucitó de entre los muertos.

Quiere entrar en las vidas de todos.

Debemos arrepentirnos.

Debemos nacer de nuevo.

Debemos recibir a Cristo.

A todos los que le reciben, les da el derecho de ser Sus hijos.

Después de terminar con todas las sugerencias, leíamos todo el folleto de Las Cuatro Leyes Espirituales buscando cada punto escrito en el pizarrón que estuviera cubierto en la primera ley. Luego borrábamos estos puntos del pizarrón. Continuábamos leyendo las otras leyes, siguiendo el mismo procedimiento. Al final del folleto, el pizarrón siempre terminaba vacío. Todos los conceptos esenciales, la esencia destilada del evangelio, está contenida en el folleto de Las Cuatro Leyes Espirituales.

LO SENCILLO PARA CONFUNDIR A LOS SABIOS

Uno de nuestros excoordinadores, ávido estudiante de la Biblia que ahora se ha convertido en un popular maestro y escritor bíblico, cuyos libros se han vendido mucho, aprendió de la manera más difícil acerca del cansancio por repetición y del poder de la sencillez. Durante muchos años usó el folleto de Las Cuatro Leyes Espirituales en todas las oportunidades de evangelizar que tenía diariamente, obteniendo grandes resultados. Sin embargo, mientras más estudiaba la Biblia, empezó a embellecer su presentación con discernimiento profundo derivado de sus estudios doctrinales.

Un día vino a visitarme. "Bill, no lo comprendo. Amo a las personas a quienes les comparto. Estoy seguro que no hay pecado inconfeso en mi vida. No creo que haga demasiada presión. Sin embargo, no estoy logrando los resultados positivos hacia el evangelio que antes lograba".

"¿Estás haciendo algo diferente de cuando lo hacías antes?", le pregunté.

Fue como si alguien hubiera encendido una bombilla detrás de sus ojos. Se dio cuenta que, al igual que el vendedor con cansancio por repetición, había cambiado su comunicación del evangelio y ya no era tan eficaz.

"Déjame desafiarte a hacer un experimento. Usa únicamente el folleto de Las Cuatro Leyes Espirituales durante los próximos treinta días. No lo enriquezcas con tus propios pensamientos u otras ideas. Léelo sin comentarios, tal como te capacitamos a hacerlo. Luego veámonos de nuevo para ver qué ha sucedido".

Regresó a lo básico, tal como está escrito el folleto de Las Cuatro Leyes Espirituales, y los resultados fueron dramáticos. La gente de nuevo respondió con entusiasmo al evangelio.

La Biblia nos dice que Dios "usa lo sencillo para confundir a los sabios", y hemos visto la evidencia una y otra vez. Hay poder en la sencillez.

RESUMEN

● Muchas veces tendemos a sobreintelectualizar el evangelio; como resultado, nuestra comunicación de las Buenas Nuevas puede ser más confusa que clara.

● Aumentamos la eficacia de nuestra comunicación usando un sistema básico que de manera consistente cubre todas las verdades esenciales del evangelio de una manera clara y sencilla.

● A través de los años, cristianos de todas las áreas de la vida han encontrado que Las Cuatro Leyes Espirituales ha sido un método eficaz para ayudar a presentar a Cristo a los miembros de su familia, amigos, vecinos, colegas y conocidos ocasionales.

PARA REFLEXIÓN Y ACCIÓN

1. ¿Ha sido su presentación del evangelio aburrida y complicada? Si tan sólo tuviera usted cinco minutos para comunicar a alguien los elementos esenciales del evangelio, ¿lo podría hacer en una manera clara y fácil de comprender?

2. Pídale al Señor que le dé un espíritu enseñable al estudiar el siguiente capítulo.

❧ 9 ❧

Compartiendo las buenas noticias

En el primer capítulo les conté sobre varios cristianos que se sentían incómodos hablando de Cristo con otras personas. Después de tan sólo unas pocas horas de capacitación sobre cómo usar el folleto de Las Cuatro Leyes Espirituales, cada uno de ellos pudo llevar a alguien al Señor.

Juanita llevó a una de sus vecinas a Cristo y su esposo Esteban llevó a su madre y al padre de Juanita al Señor.

Alfonso usó la presentación en una cárcel para llevar a un presidiario al Señor.

Bernardo reporta que ha visto "resultados consistentes porque muchos han respondido al Señor cuando yo les testifico de Cristo".

Carolina llevó a su vecina Susana al Señor.

Todas estas personas, y miles de otras como ellas, continúan tomando la iniciativa para compartir a Cristo en el poder del Espíritu Santo, dejando los resultados a Dios, y Él honra su fidelidad.

Como muchos de estos cristianos, usted está a punto de descubrir lo fácil que es utilizar Las Cuatro Leyes Espirituales (encontradas en ambos folletos "¿Ha oído usted las Cuatro Leyes Espirituales?" y "¿Le gustaría conocer a Dios personalmente?") en sus oportunidades de testificar de Cristo. En este capítulo, procederemos página por página en el primer folleto para que usted vea cómo presenta la Palabra de Dios y lleva al no-creyente hacia una decisión por Cristo. Los principios que aprenda en este capítulo son apropiados para ambos folletos.

RECONOCIENDO LOS BENEFICIOS

A través de los años, las personas que han usado Las Cuatro Leyes Espirituales han descubierto varios beneficios consistentes:

1. Le permite a usted estar preparado para cualquier situación de testificar de Cristo.

2. Le da a usted confianza porque sabe lo que va a decir y cómo lo va a decir.

3. Le hace posible ser breve.

4. Puede usarlo para empezar una conversación. Usted simplemente puede decir: "¿Ha oído las Cuatro Leyes Espirituales?"

5. Comienza con una nota positiva: "Dios le ama".

6. Presenta claramente las afirmaciones de Jesucristo.

7. Incluye una invitación para recibir a Cristo.

8. Ofrece sugerencias para el crecimiento espiritual.

9. Enfatiza la importancia de la iglesia.

10. Le permite mantenerse en el tema.

11. Le permite dejar algo tangible con la persona, ya sea para reafirmar su compromiso que ha hecho o para considerar hacer la decisión más tarde.

PREPARÁNDOSE PARA COMPARTIR

Haga oración

Como ya lo hemos enfatizado, la oración es la base fundamental del éxito al testificar. Al comenzar cada día, pídale a Dios que le haga sensible y obediente a Su guía mientras interactúa con amigos, seres queridos, vecinos, compañeros de trabajo y encuentros ocasionales. Pídale que prepare los corazones de aquellos a quienes Él le dirija y que le dé la sabiduría para compartir Su amor. Además, haga oración en silencio al comenzar a compartir el evangelio, que Dios se comunique a través de usted de manera tal que la persona que le escuche pueda hacer una decisión inteligente de corazón.

Asegúrese de ser controlado por el Espíritu Santo

Al comienzo de cada día, asegúrese que Cristo está "en el trono" de su vida. Si el Espíritu Santo no está en el control de su vida, sus esfuerzos vendrán del legalismo y no del amor. Luego, a medida que el Espíritu Santo le haga consciente de pecado en su vida, respire espiritualmente. Exhale lo impuro (confiese los pecados que no ha confesado) e inhale lo puro (rinda el control de su vida a Cristo y apropie en control del Espíritu Santo).

Siempre tenga una cantidad de folletos a la mano.

Siempre mantenga dos o tres folletos de Las Cuatro Leyes Espirituales en su bolsillo o cartera. Como hemos visto en las historias verdaderas en este libro, nunca se sabe cuando se presentará la oportunidad para usar uno o varios. La mayoría de las librerías cristianas los venden, o los puede ordenar directamente a las oficinas de Cruzada Estudiantil y Profesional para Cristo en su localidad (las direcciones están al final de este libro).

Memorice la presentación.

Esto no es obligatorio, mientras que tenga el folleto a la mano. Sin embargo, es inevitable que surjan oportunidades de compartir el evangelio cuando no tenga un folleto disponible o cuando sea incómodo usarlo (por ejemplo cuando esté hablando a un grupo de tres o más personas).

Con un poco de esfuerzo, usted puede fácilmente memorizar los enunciados y versículos de la presentación (versículos importantes que todo cristiano debe saber). Marcos, un laico que decidió memorizar las primeras doce páginas del folleto, estuvo contento de hacerlo. Un día mientras compartía el café con su jefe, la conversación se volvió hacia valores espirituales. Marcos no tenía ningún folleto con él, pero debido a que se había aprendido la presentación pudo escribir los cuatro principios en una servilleta, incluyendo los diagramas, y allí, en la cafetería, el jefe de Marcos invitó a Cristo a entrar en su vida.

"AEIOU"

Revisemos el acróstico AEIOU del capítulo 7, "Cómo dirigir la conversación hacia Jesús". *Amor. Establezca Amistad. Ir al grano* - (hable sólo de Cristo). *Oportunidad de usar historias* de su propia experiencia (su testimonio personal de conversión a Cristo en tres minutos) si el tiempo lo permite. *Una secuencia de preguntas* que lo lleven a usar el folleto.

PRESENTANDO
LAS CUATRO LEYES ESPIRITUALES

Sea sensible a la dirección del Espíritu Santo y los intereses de la persona.

La manera más sencilla de explicar Las Cuatro Leyes Espirituales es leer el folleto en voz alta. Sin embargo, tenga cuidado de no permitir que la presentación se vuelva mecánica. Recuerde, no está predicando, no está leyendo con la persona, está compartiendo con la persona. Le está presentando a la persona del Señor Jesucristo y las Cuatro Leyes Espirituales es simplemente una herramienta de comunicación. Ore continuamente para que el amor de Dios se exprese a través suyo.

Mantenga el folleto de manera que puede ser visto claramente. Use una pluma o lápiz para mantener los ojos de la persona enfocados en el texto.

Manténgase fiel a la presentación

No hay nada mágico en Las Cuatro Leyes Espirituales. Sin embargo, a través de los años, nuestros coordinadores, los estudiantes y laicos que hemos adiestrado han aprendido que lo mejor es compartir el texto tal como está escrito. Esto ayuda a asegurar que los puntos esenciales del evangelio son presentados y que no se pierden en discusiones periféricas.

Difiera cortésmente la mayoría de las preguntas

Cuando aparezcan preguntas que le cambien el tema, explique que la mayoría de las preguntas son contestadas al terminar el folleto. En la mayoría de los casos, cuando la persona ha escuchado la presentación completa, sus preguntas serán contestadas. Si usted no está seguro de que su pregunta será contestada en el folleto, puede decirle: "esa es una buena pregunta. Hablemos del tema después de terminar de leer el folleto". Descubrirá que las preguntas pierden su importancia cuando nuestro amigo ve la presentación completa en su contexto.

Sea sensible mientras comparte.

Si parece que no hay respuesta, deténgase y pregunte, "¿Tiene esto sentido para usted?" Si la persona está interesada pero tiene limitaciones de tiempo, déle el folleto y anímelo a que lo lea por completo esa misma noche. Si le dice que no está interesado del todo, déle el folleto y dígale: "tal vez llegue un momento cuando las cosas espirituales le interesen. ¿Por qué no toma este folleto para que lo pueda estudiar cuando llegue ese momento?"

Hay ocasiones, tal como en un avión que hace mucho ruido, cuando simplemente le doy el folleto a la persona y le pido que lo lea y que me diga cuál es su opinión. Después de leerlo, repaso los puntos principales, luego leo la cuarta ley y la oración sugerida palabra por palabra.

Si comparte con un grupo pequeño...

Déle un folleto a cada persona. Haga oración con los que estén interesados en recibir a Cristo. Si sólo una persona está interesada, hable con ella en privado después que los demás se hayan ido.

¡Tenga confianza!

Esté seguro que si se mantiene caminando en el Espíritu, es la voluntad de Dios que usted comparta su fe con esta persona. Usted tiene una cita divina. Recuerde: el éxito al testificar es simplemente tomar la iniciativa de testificar de Cristo en el poder del Espíritu Santo dejando los resultados a Dios. Si usted obedece, no importan cuales sean los resultados, ¡no fallará!

¿Ha Oido Usted
las Cuatro Leyes Espirituales?

PÁGINA 1: PRESENTANDO EL FOLLETO

Al sacar el folleto de Las Cuatro Leyes Espirituales de su bolsa o cartera, querrá usar una de las siguientes frases que han mostrado ser eficaces para pasar de una conversación casual al folleto:

1. "¿Ha escuchado usted Las Cuatro Leyes Espirituales? (Luego, de la página 2), así como hay leyes naturales que rigen..."

2. "¿Me podría dar su opinión sobre este folleto especial? El contenido de este folleto ha transformado mi vida. Se llama Las Cuatro Leyes Espirituales y muestra que así como hay leyes naturales que rigen el universo..."

3. "Me encontré con un folleto que explica cómo podemos tener una relación personal con Dios (o que claramente explica cualquier tema del que estén hablando). Se llama las Cuatro Leyes Espirituales y muestra que así como hay leyes naturales que rigen..."

4. Si usted cree que la persona puede ser cristiana pero no está seguro, podría decir, "recientemente he encontrado una manera de expresar mi fe que realmente tiene sentido y me gustaría compartirla con usted. ¿Ha escuchado Las Cuatro Leyes Espirituales?"

1

Así como hay leyes naturales que rigen el universo, también hay leyes espirituales que rigen nuestra relación con Dios.

PRIMERA LEY

DIOS LE **AMA** Y LE OFRECE UN **PLAN** MARAVILLOSO PARA SU VIDA.

(Las referencias contenidas en este folleto deberán ser leídas preferentemente en La Biblia, siempre que sea posible.)

2

El amor de Dios

"Porque de tal manera amó Dios al mundo, que ha dado a su Hijo unigénito, para que todo aquel que en él cree, no se pierda, mas tenga vida eterna." (San Juan 3:16).

El plan de Dios

Cristo dice: "Yo he venido para que tengan vida, y para que la tengan en abundancia" [una vida completa y con propósito] (San Juan 10:10).

¿Por qué es que la mayoría de las personas
no están experimentando esta "vida en abundancia"?

Porque . . . 3

PÁGINAS 2 Y 3: UN PUNTO DE PARTIDA POSITIVO

Tome un lápiz o pluma, tome el folleto de manera que la persona pueda seguir la lectura con usted y comience a leer. Use diferentes tonalidades para poner vida en su voz. Lea a una velocidad moderada, ni muy rápido ni muy lento. (No lea el texto entre paréntesis al pie de la página 2).

Las páginas 2 y 3 establecen el importante hecho que Dios ama a la persona que escucha y le ofrece un plan maravilloso para su vida. Aunque muchos no-creyentes esperan que se les ataque y condene, esta presentación comienza con el cálido amor de Dios.

SEGUNDA LEY

2

EL HOMBRE ES **PECADOR** Y ESTÁ **SEPARADO** DE DIOS, POR LO TANTO NO PUEDE CONOCER NI EXPERIMENTAR EL AMOR Y PLAN DE DIOS PARA SU VIDA.

El hombre es pecador

"Por cuanto todos pecaron, y están destituídos de la gloria de Dios." (Romanos 3:23)

El hombre fue creado para tener compañerismo con Dios: pero debido a su voluntad terca y egoísta, escogió su propio camino y su relación con Dios se interrumpió. Esta voluntad egoísta, caracterizada por una actitud de rebelión activa o indiferencia pasiva, es una evidencia de lo que la Biblia llama pecado.

4

El hombre está separado

"Porque la paga del pecado es muerte" [o sea separación espiritual de Dios] (Romanos 6:23).

Este diagrama ilustra que Dios es santo y que el hombre es pecador. Un gran abismo lo separa. Las flechas señalan que el hombre está tratando continuamente de alcanzar a Dios para establecer una relaciónpersonal con El a través de sus propios esfuerzos, tales como vivir una buena vida, filosofía o religión, pero siempre falla en su intento.

La tercera ley explica la única manera de atravesar este abismo. . .

3

PÁGINAS 4 Y 5: POR QUÉ EL HOMBRE ESTÁ SEPARADO DE DIOS

Continúe leyendo las páginas 4 y 5, palabra por palabra. Mientras lea, de vez en cuando voltee a ver a la persona para personalizar lo que está compartiendo y para medir si le va siguiendo.

Las páginas 4 y 5 enfatizan la razón por la cual muchas personas pueden no experimentar el amor y plan de Dios: el pecado. Romanos 3:23 muestra que el pecado es universal: todos han pecado y se quedan cortos del ideal de Dios. Romanos 6:23 muestra que la consecuencia del pecado es la muerte o separación eterna de Dios. Esta es la parte más dura que escuchará la persona, pero es esencial que comprenda su separación de Dios.

Encontrará que los diagramas son de mucha ayuda para explicar el evangelio. Le dan a la persona que está escuchando un "apoyo" visual para comprender mejor las verdades de la Palabra de Dios. Practique su uso para que pueda apuntar al diagrama mientras explica el texto relacionado.

3

TERCERA LEY

JESUCRISTO ES LA ÚNICA PROVISIÓN DE DIOS PARA EL PECADO DEL HOMBRE. SOLO A TRAVÉS DE EL PUEDE USTED CONOCER A DIOS PERSONALMENTE Y EXPERIMENTAR SU AMOR Y PLAN.

El murió en nuestro lugar

"Mas Dios muestra su amor para con nosotros, en que siendo aún pecadores, Cristo murió por nosotros" (Romanos 5:8).

El resucitó de entre los muertos

"Cristo murió por nuestros pecados. . . fue sepultado, y . . . resucitó al tercer día conforme a las Escrituras; . . . apareció a Pedro, y después a los doce. Después apareció a más de quinientos. . ." (1 Corintios 15:3-6).

6

Él es el único camino a Dios

"Jesús le dijo: Yo soy el camino, y la verdad, y la vida; nadie viene al Padre, sino por Mí" (San Juan 14:6).

 Este diagrama ilustra que Dios ha cruzado el abismo que nos separa de El, al enviar a Su Hijo, Jesucristo, a morir en la cruz en nuestro lugar para pagar la condena por nuestros pecados.

No es suficiente tan sólo conocer estas tres leyes... 7

PÁGINAS 6 Y 7: LAS NOTICIAS MÁS ALEGRES QUE SE HAYAN ANUNCIADO

¡Aquí está! La provisión de Dios para el pecado. Cómo el hombre, a través de Jesucristo, puede pasar del reino de la oscuridad y entrar al reino de la luz. Las páginas 6 y 7 ilustran cómo Cristo murió por el pecado del hombre, resucitó de entre los muertos y es el único camino para tener relación con Dios. Dios ha establecido un puente en el abismo que nos separaba de Él a través de su Hijo Jesucristo.

CUARTA LEY

4

DEBEMOS INDIVIDUALMENTE RECIBIR A JESUCRISTO COMO SALVADOR Y SEÑOR; SÓLO ASÍ PODREMOS EXPERIMENTAR EL AMOR Y EL PLAN DE DIOS PARA NUESTRAS VIDAS.

Debemos recibir a Cristo
"Mas a todos los que le recibieron, a los que creen en su nombre, les dió potestad de ser hechos hijos de Dios" (San Juan 1:12).

Recibimos a Cristo mediante la fe
"Porque por gracia sois salvos por medio de la fe; y esto no de vosotros, pues es don de Dios; no por obras, para que nadie se gloríe" (Efesios 2:8,9).

Cuando recibimos a Cristo experimentamos un nuevo nacimiento
(Lea San Juan 3:1-8.)

8

PÁGINAS 8 Y 9: PERSONALIZANDO LAS BUENAS NUEVAS

Estas páginas enfatizan el hecho que no es suficiente estar de acuerdo intelectualmente con las primeras tres leyes. Uno debe personalmente *recibir* a Cristo como Salvador y Señor para conocer y disfrutar del plan y amor de Dios. Se le muestra al oyente cómo recibir a Cristo y se le explica lo que esto significa.

Ponga atención especial a los dos círculos en la parte inferior de la página 9. Son especialmente eficaces en ayudar al oyente a reconocer dónde se encuentra respecto a Dios. Recientemente le pedí a Luis, un maletero en un aeropuerto de la costa oeste, que leyera el folleto de Las Cuatro Leyes Espirituales mientras yo recogía mis maletas. Cuando aparecieron todas la maletas, le pregunté: "¿Cuál círculo representa su vida?"

"El de la izquierda", me contestó Luis.

"¿Cuál círculo le gustaría que representara su vida?"

"El de la derecha".

En pocos minutos, Luis había discernido su posición con respecto a Dios y se había dado cuenta que quería recibir a

Recibimos a Cristo por medio de una invitación personal

Cristo dice: "He aquí, yo estoy a la puerta y llamo; si alguno oye mi voz y abre la puerta, entraré a él ..." (Apocalipsis 3:20).

El recibir a Cristo significa volverse a Dios, abandonando nuestra vida egocéntrica (arrepentimiento), confiando en Cristo para que venga a nuestra vida y nos perdone nuestros pecados. De esa manera podrá hacernos la clase de personas que El quiere que seamos. No es suficiente el solo estar de acuerdo intelectualmente de que Jesucristo es el Hijo de Dios y de que murió en la cruz por nuestros pecados. Ni es suficiente el tener una experiencia emocional. Se recibe a Cristo por fe, como un acto de nuestra voluntad.

Estos círculos representan dos clases de vidas:

LA VIDA DIRIGIDA POR EL YO
E - El Yo en el trono
† - Cristo fuera de la vida
• - Intereses dirigidos por el YO que resultan en discordia y frustración

LA VIDA DIRIGIDA POR CRISTO
† - Cristo en la vida y en el trono
E - El YO cediendo el lugar a Cristo
• - Intereses dirigido por Dios lo cual resulta en armonía con el plan de Dios

¿Cuál círculo representa realmente su vida?
¿Cuál círculo le gustaría que representara su vida?

9

Cristo como su Señor y Salvador. Juntos, nos hicimos a un lado del bullicio del aeropuerto y Luis y yo hicimos la oración sugerida. Al despedirnos con un apretón de manos, me escribió en un papel su dirección y se regocijó en su nueva relación con el Señor.

Aprenda bien el diagrama de los círculos. Le ayuda al lector/oyente a visualizar la diferencia real entre una persona autodirigida y la persona dirigida por Cristo y le anima a que identifique exactamente dónde está él. Encontrará que es muy útil en una variedad de circunstancias. Algunas personas también han usado el diagrama con éxito para comenzar una conversación acerca de cosas espirituales.

USTED PUEDE RECIBIR A CRISTO AHORA MISMO POR FE, MEDIANTE LA ORACIÓN

(Orar es hablar con Dios)

Dios conoce su corazón y no tiene tanto interés en sus palabras, sino más bien en la actitud de su corazón. La siguiente oración se sugiere como guía:

"Señor Jesús, te necesito. Gracias por morir en la cruz por mis pecados. Te abro la puerta de mi vida y te recibo como mi Salvador y Señor. Gracias por perdonar mis pecados y por darme vida eterna. Toma control del trono de mi vida. Hazme la persona que Tú quieres que yo sea."

¿Expresa esta oración el deseo de su corazón?

Si lo expresa, haga esta oración ahora mismo, y Cristo entrará a su vida tal como El lo prometió.

10

PÁGINA 10: ORACIÓN SUGERIDA

Uno recibe a Cristo no por la oración sino por la fe. Sin embargo, la oración es una manera tangible y consciente de expresar la fe y "abrir la puerta" de la vida a Cristo. La oración sugerida en esta página contiene varios reconocimientos y compromisos importantes, de parte de la persona que nos escucha, así que léala cuidadosamente con ella.

Luego vienen las dos preguntas más importantes que usted hará durante toda su presentación:

1. "Juan, ¿Expresa esta oración el deseo de su corazón?"

2. "¿Le gustaría hacer esta oración ahora mismo?"

No se intimide en este momento. Aquí es donde la persona que le escucha necesita su liderazgo calmado y confiado. Cuando diga "sí", pídale que repita la oración después de usted, frase por frase. (En el próximo capítulo discutiremos qué hacer si la persona responde "no".) Cuando hayan terminado de orar juntos, tome un momento para felicitarlo y luego diga: "Ahora déjeme hacerle algunas preguntas para ayudarle a comprender lo que acaba de suceder..." Proceda a la página 11.

¿Cómo sabe usted que Cristo está en su vida?

¿Recibió a Cristo en su vida? De acuerdo con Su promesa en Apocalipsis 3:20, ¿Dónde está Cristo ahora mismo en relación a usted? Cristo dijo que entraría a su vida. ¿Le engañaría El? ¿En base a que autoridad sabe usted que Dios le ha contestado su oración? (Por la fidelidad de Dios mismo y Su Palabra.)

La Biblia promete vida eterna a todos los que reciben a Cristo

"Y este es el testimonio: que Dios nos ha dado vida eterna; y esta vida está en Su Hijo. El que tiene al Hijo, tiene la vida; el que no tiene al Hijo de Dios no tiene la vida. Estas cosas os he escrito a vosotros que creéis en el nombre del Hijo de Dios, para que sepáis que tenéis vida eterna." (1 Juan 5:11-13).

Agradézcale siempre porque Cristo está en su vida y que nunca le abandonará (Hebreos 13:5). Usted puede estar seguro, en base de Sus promesas, que Cristo vive en usted y de que tiene vida eterna desde el momento en que lo invitó a su vida. El no le engañará.

Un importante recordatorio . . . 11

PÁGINA 11: SEGURIDAD DE SALVACIÓN

Haga la pregunta de la parte de arriba de la página 11 para ayudarle al nuevo creyente a comprender las promesas en la Palabra de Dios. Él puede estar seguro que, porque Dios y su Palabra son dignos de confianza, Cristo está ahora en su vida.

Puesto que Dios y su Palabra son confiables, él ahora tiene vida eterna. Lea 1 Juan 5:11-13 para reafirmar esta verdad. En este punto usted pregunte: "Juan, según la Palabra de Dios, ¿qué le sucederá cuando muera?" (Tendrá vida eterna en el cielo según 1 Juan 5:11-13, San Juan 3:16, Romanos 6:23.)

NO DEPENDA DE SUS SENTIMIENTOS

La promesa de la Palabra de Dios, la Biblia, y no nuestros sentimientos, es nuestra autoridad. El cristiano vive por fe (confianza) en la fidelidad de Dios mismo y Su Palabra. El diagrama del tren ilustra la relación entre el **hecho** (Dios y Su Palabra), la **fe** (nuestra confianza en Dios y Su Palabra) y los **sentimientos** (el resultado de la fe y la obediencia) (lea San Juan 14:21).

El tren corre con o sin el vagón. Sin embargo, sería inútil tratar de que el vagón mueva el tren. Del mismo modo, nosotros, como cristianos, no dependemos de los sentimientos o emociones, sino que ponemos nuestra fe (confianza) en la fidelidad de Dios y en las promesas de Su Palabra.

12

PÁGINA 12: "PUEDE QUE NO SIENTA NADA DIFERENTE"

La página 12 responde a la inquietud sobre los sentimientos. Algunas personas tienen conversiones dramáticas, mientras que para otros fue una decisión calmada y tranquila. Continúe leyendo el texto palabra por palabra, enfatizando cómo el diagrama del tren ilustra la secuencia correcta. Tenemos *fe* en *los hechos* de la Palabra de Dios. Los *sentimientos* son el resultado de nuestra fe, no la causa de nuestra fe. Algunos días nos sentiremos en la cima del mundo, mientras que en otros días nos sentiremos regular, pero *el hecho* de que Dios es digno de confianza permanece constante.

**AHORA QUE HA COMENZADO
UNA RELACIÓN PERSONAL CON CRISTO**

En el momento en que usted por fe recibió a Cristo, mediante un acto de su voluntad, muchas cosas ocurrieron, incluyendo las siguientes:

1. Cristo entró en su vida (Apocalipsis 3:20 y Colosenses 1:27).
2. Sus pecados le fueron perdonados (Colosenses 1:14).
3. Usted ha llegado a ser un hijo de Dios (San Juan 1:12).
4. Tiene ahora vida eterna (San Juan 5:24).
5. Comenzó a vivir la gran aventura para la cual Dios le creó (San Juan 10:10b; 2Corintios 5:17 y 1Tesalonicenses 5:18).

¿Puede usted pensar en algo más extraordinario que le haya ocurrido que el entrar en una relación personal con Cristo? ¿Le gustaría dar gracias a Dios en oración ahora mismo por lo que El ha hecho por usted? Al dar gracias a Dios, usted está demostrando su fe.

Para disfrutar su nueva vida al máximo . . . 13

PÁGINA 13: RESUMEN DE LA NUEVA VIDA

La página 13 es un resumen rápido de lo que sucedió en la vida del nuevo creyente cuando recibió a Cristo. Usted querrá animarle a que se lleve el folleto a su casa, que abra su Biblia y que busque cada una de las referencias en su contexto para confirmar que Dios sí ha hecho un milagro de amor en su vida. Si el tiempo lo permite, oren juntos, como se sugiere en la parte de abajo de la página 13, dándole gracias a Dios por lo que ha hecho.

SUGERENCIAS PARA EL CRECIMIENTO CRISTIANO

El crecimiento espiritual es el resultado de permanecer confiando en Cristo Jesús. "El justo por la fe vivirá" (Gálatas 3:11). Una vida de fe le capacitará para confiarle a Dios cada vez más todo detalle de su vida y para practicar lo siguiente:

C Converse con Dios en oración diariamente (San Juan 15:7).

R Recurra a la Biblia diariamente (Hechos 17:11). Principie con el evangelio de San Juan.

I Insista en confiar a Dios cada aspecto de su vida (1 Pedro 5:7).

S Sea lleno del Espíritu Santo—permítale dirigir y fortalecer su vida diariamente; y para testificar a otros (Gálatas 5:16-17; Hechos 1:8).

T Testifique a otros de Cristo verbalmente y con su vida (San Mateo 4:19, San Juan 15:8).

O Obedezca a Dios momento a momento (San Juan 14:21).

14

EL COMPAÑERISMO EN UNA BUENA IGLESIA

La palabra de Dios amonesta "no dejando de reunirnos" (Hebreos 10:25). Las brasas de un fuego arden cuando están juntas, pero si usted aparta una, esta se apagará. Así es su relación con otros cristianos. Si usted no es miembro de una iglesia, no espere a que lo inviten a hacerlo. Tome la iniciativa; llame o visite a un ministro de Dios en alguna iglesia cercana donde se exalte a Cristo y se predique Su Palabra. Comience esta semana, y haga planes de asistir regularmente.

MATERIALES DISPONIBLES PARA EL CRECIMIENTO CRISTIANO

Si usted aceptó a Cristo como Salvador personal mediante esta presentación del evangelio, hay materiales adicionales que le pueden ayudar en su crecimiento cristiano. Para más información escriba a:

Cruzada Estudiantil para Cristo, Inc.

P.O. Box 593684, Orlando, FL 32859-3684 USA   15

PÁGINAS 14 Y 1 5: SUGERENCIAS PARA EL CRECIMIENTO

Aquí hay un minicurso sobre qué hacer para crecer en su nueva relación con Jesucristo. Anime al nuevo creyente a estudiar estos puntos por su cuenta.

Nosotros creemos fuertemente y estamos comprometidos a servir a la iglesia local. Un nuevo creyente en Jesucristo necesita encontrar un grupo de cristianos amorosos y comprometidos que amen al Señor y su Palabra inspirada y que le animen y fortalezcan en su caminar con Dios.

Hablaremos más sobre el seguimiento en el capítulo 11, "Cómo discipular al nuevo creyente", pero es importante notar que aquí hay una gran variedad de materiales para el seguimiento que usted puede usar con el nuevo convertido, ya sea en persona o por correo. Algunos de los más eficaces están enumerados en el apéndice E.

DESPUÉS DE LA PRESENTACIÓN

Nunca podría enfatizar demasiado la importancia de edificar inmediatamente al nuevo creyente en Jesucristo. Si usted vive cerca, siempre haga una cita para reunirse dentro de cuarenta y ocho horas de su decisión (preferentemente dentro de veinticuatro horas). Con seguridad que tendrá preguntas y tal vez esté luchando con una variedad de emociones y usted puede ayudarle a desarrollar un buen fundamento en su nueva relación con Dios.

Si el nuevo creyente es un amigo casual, comprométase conscientemente a darle edificación inmediatamente ya sea por correo o por teléfono. Trate de llamarle dentro de veinticuatro horas para asegurarle que está orando por él, para responder alguna pregunta que tenga y para hablarle del material que le estará enviando. Luego, envíe su primera carta y material de edificación dentro de las primeras veinticuatro horas de su decisión.

Hablaremos más sobre esto en el capítulo 11. En todo caso, es esencial que usted:

1. Le dé al nuevo creyente en Jesucristo su dirección y número de teléfono.

2. Consiga la dirección y número de teléfono del nuevo cristiano.

3. Déle una copia del folleto de Las Cuatro Leyes Espirituales y anímelo a que lo lea de nuevo completamente esa misma noche. También es importante que comience a estudiar el Nuevo Testamento, comenzando con el evangelio de San Juan. Anímelo a que lea los primeros tres capítulos esa noche antes de irse a la cama.

4. Si usted vive cerca, haga una cita personal para reunirse de nuevo en cuarenta y ocho horas; si no viven cerca, pídale permiso para llamarle para ver "cómo van las cosas".

Nota: si el nuevo creyente es del sexo opuesto, le recomiendo fuertemente que busque a un amigo o amiga de confianza del mismo sexo para que haga la edificación inmediata. Muchas veces les he dicho a mujeres: "conozco a una buena mujer cristiana cuyo trasfondo es similar al suyo. ¿Le importaría si le pido que le llame?" Esta precaución puede prevenir malentendidos potenciales y emociones confundidas.

UNIENDO LAS PARTES

En nuestras conferencias de capacitación, ponemos a los participantes en parejas para practicar la presentación de Las Cuatro Leyes Espirituales de persona a persona. Le animo a que encuentre un amigo con quien pueda practicar, para erradicar los temores iniciales que pueda tener al comenzar a leer el folleto en voz alta. Pídale a su amigo que sea un "oyente amigable" en esta fase, que no ponga objeciones o preguntas. La meta es que usted se sienta cómodo con la presentación básica. En el siguiente capítulo, veremos cómo responder algunas preguntas potenciales que le podrían hacer.

RESUMEN

● Hay una gran cantidad de ventajas para usted al usar una presentación consistente del evangelio como Las Cuatro Leyes Espirituales.

● Siempre guarde con usted dos o tres copias del folleto de Las Cuatro Leyes Espirituales.

● Siga el texto lo más de cerca posible. Se ha comprobado su eficacia en millones de circunstancias. Mientras lee, mantenga el folleto de manera que la persona que le escucha pueda seguir la lectura. Lea con sentimiento.

● Si tiene poco tiempo, trate por lo menos de llegar hasta la página 12. Si el tiempo no le permite una presentación completa, dé el folleto a la persona y anímele a que lo lea esa misma noche.

● Siempre trate de conseguir el nombre, dirección y teléfono del nuevo cristiano para la edificación inmediata.

PARA REFLEXIÓN Y ACCIÓN

1. Lea en voz alta la presentación de Las Cuatro Leyes Espirituales por lo menos tres veces, como si las estuviera compartiendo con alguien.

2. Memorice las preguntas/comentarios en la página 121 para ayudarle a pasar de la conversación al folleto. Practíquelos en voz alta para que se oigan como algo natural.

3. Pídale a un amigo cristiano que haga el papel de un oyente no cristiano, mientras usted practica las transiciones y la presentación.

4. Dígale al Señor en oración: "Señor, ¿con quién quieres que comparta primero estas buenas noticias?" Comprométase con Dios que será obediente a Su dirección cuando llegue la primera oportunidad.

5. Consiga una buena cantidad de folletos de Las Cuatro Leyes Espirituales de su librería cristiana local o en la sede de la Cruzada Estudiantil y Profesional para Cristo (las direcciones están en apéndice E). Escoja el título con el que se siente más cómodo: "¿Ha oído usted Las Cuatro Leyes Espirituales?" o ¿Le gustaría conocer a Dios personalmente?

En muchos casos, la resistencia inicial
de las personas es una cortina de humo
que cubre una gran necesidad de ayuda

❦10❦

Cómo manejar la hostilidad, las preguntas y la resistencia

"No creo en Dios, no creo en la Biblia y no creo en Cristo ni en el cristianismo".

Los ojos de Carlos brillaban bajo su rubio cabello, que le caía sobre la frente cuando me atrapó en una esquina después de una conferencia que di en una universidad sobre la deidad de Jesucristo. Era un estudiante de filosofía y más tarde descubrí por medio de otros estudiantes que parecía disfrutar en destruir al cristianismo. Parecía que esa noche el que destrozaría sería a mí.

Puse mi mano sobre su hombro y le pregunté, "¿Por qué no nos sentamos a platicar?"

Colocamos dos sillas en posición de conversación y rápidamente le oré pidiéndole a Dios me diera sabiduría. Él parecía estar recordándome: *"no discutas. házle preguntas para descubrir por qué se siente de esa manera"*.

"Dime lo que no crees acerca de la Biblia", comencé.

"Simplemente no puedo creerla. Está llena de toda clase de contradicciones y mitos". Carlos se apoyó en el respaldo de la silla, con sus brazos entrecruzados sobre su pecho.

"¿Alguna vez la has leído?"

"Claro que sí, la he leído de pasta a pasta".

Le presté mi Biblia. "¿Me podrías mostrar qué partes te molestan?"

"Bueno, hay miles de contradicciones..." me dijo mientras su voz se hacía más bajita y hojeaba las páginas.

"Carlos, si me muestras uno de esos problemas o contradicciones, podemos hablar sobre el asunto".

Para estas alturas, Carlos estaba frustrado. Se inclinó hacia adelante, con los codos sobre sus rodillas y hojeaba la Biblia casi sin ganas, dándose cuenta que no me podía mostrar la evidencia que probara sus afirmaciones.

"Carlos, ¿dices que has leído la Biblia?"

"Sí"

"¿Hace cuánto tiempo la leíste?"

"Hace algún tiempo"

"¿Cuánto tiempo? ¿Cuántos años tenías cuando la leíste?"

"Bueno... creo que cuando tenía como doce años".

"¿Y estás dejando que lo que leíste cuando tenías doce años influya en decisiones de toda una vida? Carlos, creo que comprendo cómo te sientes. En mis días de agnóstico, muchas veces yo repetía como loro lo que oía que otros agnósticos decían, sin haber comprobado yo mismo la información. Me estoy dando cuenta Carlos, que la verdadera razón por la cual me has buscado esta noche es porque realmente quieres conocer a Dios personalmente".

Se inclinó hacia atrás en su silla y dejó ir un fuerte suspiro. "Sí", me dijo, "así es".

"¿Te gustaría examinar lo que Jesucristo mismo dijo acerca de cómo conocer a Dios? Aquí tengo un folleto que lo explica..."

Juntos, leímos el folleto de Las Cuatro Leyes Espirituales y Carlos invitó a Cristo a entrar a su vida. Hablamos durante unos momentos sobre su entrega, oramos juntos y luego se puso de pie para salir.

"Señor Bright," me dijo poniendo su mano sobre mi hombro deteniendo mi camino.

"¿Sí?"

Sus azules ojos se habían transformado de hostilidad a paz. "Gracias. Gracias por no permitir que mi lengua suelta impidiera que usted me mostrara la verdad".

A pesar de las fuertes protestas de Carlos y su aparente hostilidad, Dios tenía planes especiales para él esa noche. Francamente, no disfruto las confrontaciones, pero he aprendido de muchas experiencias que, como Carlos, muchas personas que inicialmente responden al evangelio con hostilidad, casi siempre son los que están más listos para recibir a Cristo. Allá en lo profundo, están clamando por ayuda y su agresividad visible es una cortina de humo que usan para esconder su dolor y hambre espiritual.

"SOBRE MI CADÁVER"

Recuerdo una invitación de un grupo de estudiantes cristianos de la Universidad de California en Los Ángeles (UCLA), querían que hablara en una de las asociaciones estudiantiles. Su presidente, conocido como uno de los más grandes borrachos de la universidad y uno de los más acérrimos críticos del cristianismo protestó diciendo "sobre mi cadáver".

"Bueno", dijeron en forma de broma otros de los estudiantes asociados, todos musculosos atletas, "sobre tu cadáver será".

En realidad, continuó viviendo y estuvo presente en la reunión de la asociación. Después de mi charla, invité a todo aquel que quisiera ser cristiano que me vieran después de la reunión. Casi todos los estudiantes se reunieron a mi alrededor y él fue uno de los primeros en pedir una cita.

Cuando estuvimos a solas, me confesó, "como siempre soy el alma de las fiestas, bebiendo y contando chistes, la mayoría de mis amigos piensan que yo soy feliz. Sin embargo, creo que soy el tipo más infeliz en toda esta universidad. Necesito a Dios".

Para sorpresa de los demás estudiantes asociados, dos días después, este joven recibió a Cristo, cambió su vida y se convirtió en uno de los estudiantes más activos para el Señor en esa universidad.

"OTRO FANÁTICO RELIGIOSO"

Una serie de reuniones en la Universidad de Houston me trajeron cara a cara con otro estudiante de filosofía llamado Benjamín, reconocido por su intelecto y por su activismo anticristiano. Nuestro director universitario invitó a Benjamín a reunirse conmigo en la cafetería después de un largo día de reuniones y Benjamín aceptó con gusto la oportunidad de debatir a "otro fanático religioso".

Los tres hablamos por más de una hora, pero era el caso clásico de falta de comunicación. Benjamín me repetía largas citas de filósofos ateos y cuando paraba para tomar aliento, yo le decía que Dios le amaba y le ofrecía un maravilloso plan para su vida. Luego él me decía que Dios no podía existir y yo le respondía que así pensaba yo cuando era agnóstico, pero que Jesús había cambiado mi vida.

Había estado trabajando desde temprano en la mañana, así que estaba extenuado. Me parecía que la conversación no iba a ningún lado y le sugerí que nos despidiéramos.

"¿No les molestaría acompañarme hasta mi dormitorio?", nos dijo Benjamín.

Me subí al asiento trasero pensando comenzar mi tan necesitado sueño. Sin embargo, antes de salir del estacionamiento, Benjamín se dio vuelta en el asiento delantero y dijo, "Señor Bright, todo lo que dijo esta noche me pegó directo al corazón. Me gustaría recibir a Cristo ahora mismo".

En ese mismo momento, el sueño perdió toda su importancia.

Benjamín no había dado ninguna señal que estaba por aceptar las afirmaciones de Cristo. No habíamos visto ninguna respuesta positiva durante nuestra incómoda conversación. Yo no había sido muy claro en mi testimonio verbal, sin embargo, el Espíritu Santo había preparado el corazón de Benjamín y me había usado, a pesar de mi desgano en penetrar su fachada y de comunicar el amor de Dios.

EL SIGNIFICADO ESCONDIDO

A medida que hable de Cristo fielmente a otros, ocasionalmente encontrará hostilidad, preguntas y resistencia. Sea sensible a la guía del Espíritu Santo. Hay un tiempo para terminar una conversación, para dar a la persona algo para leer y animarle a que invite a Cristo a su vida cuando esté listo.

También encontrará que, en la mayoría de los casos, la resistencia inicial de la persona realmente significa que quiere saber más... que sus preguntas indican que está sinceramente interesado en clarificar algunos puntos importantes...y que cualquier hostilidad inicial realmente es una máscara que esconde un profundo grito de ayuda.

GUÍAS GENERALES

El propósito de este capítulo es ayudarle a usted a guiar a la persona que escucha a penetrar esas pantallas de humo para que pueda enfocarse en la persona de Jesucristo. Antes de referirme a objeciones específicas que podrá encontrar, *establezcamos algunas guías generales:*

1. Nunca discuta

Recuerde, su misión es proclamar las buenas nuevas, no ganar una discusión. Deje que el genuino amor ágape de Dios invada sus palabras, el tono de su voz y sus expresiones faciales. Responda preguntas y haga preguntas, pero no discuta.

2. No trate de razonar dentro del área de especialidad de la persona.

Yo estudié filosofía, pero me hubiera metido en un gran problema si hubiera tratado de razonar filosóficamente con Carlos. Estudié ciencias, pero no me hubiera ido muy bien si hubiera tratado de razonar de manera científica con un científico. Por eso trato de mantenerme enfocado en la persona de Jesucristo, Su amor, Su muerte y resurrección, y Su regalo de vida eterna.

3. Recuerde lo que Dios le ha ordenado hacer

Su tarea es proclamar, la tarea de Dios es convertir. Comparta las afirmaciones de Cristo de la manera más completa. Responda las preguntas con calma, al máximo de su capacidad. Dé a la persona suficiente oportunidad de responder. En la mayoría de los casos, responderá favorablemente. Si es así, habrá plantado una semilla, y puede confiar en Dios por los resultados.

Recuerde: el éxito al testificar es simplemente tomar la iniciativa en compartir a Cristo en el poder del Espíritu Santo dejando los resultados a Dios.

4. Trate de conducir a la persona a Las Cuatro Leyes Espirituales lo más rápido posible.

Siempre que sea apropiado, use la pregunta u objeción como una manera de transición a la presentación. Muchas preguntas y objeciones serán resueltas en la mente de la persona cuando vea el contexto total del evangelio.

5. Apele a la integridad intelectual de la persona.

Nadie quiere ser "falto de honradez intelectual", pero este es precisamente el error que muchas personas cometen cuando resisten la Palabra de Dios: es la única cosa que rechazan investigar objetivamente. Al apelar a su integridad intelectual, puede ayudarles a ver que deben darle una oportunidad justa al evangelio.

6. Si la persona rechaza el evangelio, siempre déjele algo para leer.

Déjele el folleto de Las Cuatro Leyes Espirituales o un evangelio de San Juan, junto con el desafío de hacer el "experimento de los 30 días". (Más adelante hablaremos acerca de ese "experimento".) El principio es que la entrega de literatura va en segundo lugar, lo mejor es una presentación personal. Siempre déle a la persona algo para llevarse a su casa y estudiar con más detenimiento.

CUÁNDO ES POSIBLE
QUE LLEGUEN LAS PREGUNTAS

Preguntas, resistencia y objeciones pueden ocurrir en uno de tres momentos durante la conversación:

1. Durante la conversación introductoria, antes de la presentación de Las Cuatro Leyes Espirituales;

2. Durante la presentación, particularmente con respecto al diagrama de los círculos en la página 9;

3. Después de leer la oración sugerida en la página 10.

Si la objeción aparece durante la conversación inicial, respóndala brevemente y luego úsela como puente hacia la presentación de Las Cuatro Leyes Espirituales. Por ejemplo, si la persona dice: "no creo que Dios pueda amarme después de las cosas que he hecho". Usted podría decir: "Sabe, es sorprendente, he descubierto que Dios nos ama a pesar de lo que hayamos hecho. Es más, he encontrado un pequeño folleto que explica esto claramente. ¿Le gustaría saber lo que la Biblia dice acerca del amor de Dios?"

Si la objeción aparece cuando vaya leyendo el folleto, recuerde pasar la pregunta, de manera cortés, hacia el final de la presentación. La única excepción a esta guía es cuando la persona está obviamente irritada y no desea que usted continúe. Si esto sucede, discúlpese de esta manera: "Siento mucho si le he ofendido. ¿Por qué no se lleva el folleto y lo lee por sí mismo cuando más le sea conveniente?"

Si las preguntas u objeciones aparecen después de haber invitado a la persona a repetir la oración sugerida, ahora es el momento de responder pacientemente cada pregunta. Usted ya ha colocado la base mostrando los cuatro principios bíblicos. Si sus preguntas no fueron contestadas por el contexto de la presentación, trate de responderlas en este momento. Nunca presione o apresure una decisión por Cristo. Cuando sienta que sus preguntas han sido contestadas, gentilmente pregúntele: "¿Existe alguna razón que ahora le impide recibir a Cristo? ¿Qué le parece si lo hace ahora mismo?"

EL EXPERIMENTO DE LOS 30 DÍAS

La persona que afirma "no creo", normalmente es mejor candidato para el reino que aquélla que dice "no me importa". He encontrado que en muchos casos, aquéllos que dicen que no creen en Dios, la Biblia o la deidad de Cristo realmente son personas que han sido dañadas y tienen cicatrices emocionales. Tal vez han sido ofendidas por un padre demasiado estricto, por un líder cristiano inmoral o por otros adultos que hablaban como cristianos pero no vivían como tales. Si este no es el caso, es posible que sean personas de tipo orgulloso y pseudointelectual.

Ya sea que profesen ser ateos, agnósticos, humanistas militantes o tengan dudas sinceras, el apelar a su integridad intelectual a través del "experimento de los 30 días" puede traer resultados dramáticos.

¿Cómo funciona el "experimento"?

Una estudiante cristiana estaba saliendo con un hombre rigurosamente antagónico hacia Dios. Me pidió si podía hablar con él y cuando llegué estaba completamente furioso.

"No me importa su Dios", me dijo con cólera, "y no tengo el menor interés de hablar con usted". Luego hizo otros comentarios no muy agradables, con expresiones muy fuertes.

"Lo siento mucho", me disculpé. "Normalmente no me entremeto en este tipo de cosas. Antes de salir, permítame decirle lo siguiente: usted está saliendo con una maravillosa mujer cristiana. Usted puede arruinar su vida, y usted no tiene derecho a tener nada más que ver con ella a menos que deje que Dios se apropie de su vida".

Ya no quiso hablar conmigo. Su cara se puso tan roja de la cólera que aún puedo sentir el calor que generaba. Me moví hacia la orilla de mi silla para levantarme. "Quiero dejarle con este pensamiento: usted dice que no cree en Dios ni en la Biblia. Quiero pedirle que haga un experimento como cuestión de integridad intelectual.

"Lea la Biblia cada día, comenzando con el evangelio de San Juan. Una hora diaria por treinta días. Cada día comience su lectura con una oración: Dios, si existes, y si Jesucristo es tu revelación al hombre y verdaderamente murió por mis pecados, quiero conocerte personalmente.

"Si usted hace esa oración cada día y lee la Biblia objetivamente una hora al día, como un honrado investigador de la verdad, creo que descubrirá de lo que estoy hablando".

No contestó a mi sugerencia. Al dejarlo a él y a su novia cristiana, me sentí cargado por la posibilidad que rechazara todo lo que tuviera que ver con Cristo y ultimadamente arruinara su vida".

Unos cuatro meses después, la señorita recibió una carta de él. Había estado viajando por Europa y había comenzado a leer la Biblia. Dios le había hablado a través de Su Palabra, y le escribió a su novia:

¡Estoy emocionado! Hice el experimento de los 30 días que me sugirió tu amigo y ahora se por qué estaba tan emocionado acerca de Cristo. Ahora yo también le he recibido como mi Señor y Salvador.

"¿HARÍAS ESTE EXPERIMENTO?"

Un joven que estaba presente en un desayuno evangelístico en la Universidad de Colorado me dijo: "todo este asunto de Dios es una locura". Por supuesto que yo ya había descubierto que muchas veces cuando las personas como él se me acercan, realmente están hambrientas de Dios e inconscientemente esperan que yo pueda ver más allá de esta fachada y les ayude.

"¿Eres una persona sincera?", le pregunté.

"Claro que lo soy".

"¿Harías un experimento?"

"¿Qué clase de experimento?"

"Un científico entra al laboratorio para hacer una investigación sin tener ideas preconcebidas. Él va con una mente abierta y considera toda la verdad de manera objetiva. ¿Estarías dispuesto a realizar un experimento por treinta días, como prueba de tu integridad intelectual?"

Le describí el experimento de los 30 días. "Creo que podría hacerlo", me aseguró.

"¿Qué tienes que hacer hoy?", le pregunté.

"Sucede que hoy es mi día libre, por eso estoy aquí".

"Yo sé que querrás ser sincero intelectualmente sobre este asunto, tal como lo haría un científico objetivo. ¿Por qué no te tomas el día y lees el evangelio de San Juan? Léelo y haz una oración de que si Jesucristo es Dios y murió por tus pecados, Él entre en tu vida y se convierta en tu Señor y Salvador".

Esa noche me tocó hablar a un numeroso grupo de estudiantes. Al comenzar, eché una mirada sobre el público y allí, justo en medio del auditorio, estaba este joven, brillando con tal magnitud que hubiera podido iluminar el auditorio.

Yo estaba ansioso de que terminara la reunión, y cuando finalmente terminó corrió en medio de la multitud y se me acercó. "Lo hice", me dijo sonriendo. "Hice lo que me dijo. Leí el primero, segundo, tercero y cuarto capítulos de San Juan".

Nunca olvidaré la siguiente frase que me dijo: "Iba en el capítulo ocho cuando Jesús saltó de las páginas de la Biblia hacia mi corazón".

Permítame animarle a que apele a la integridad intelectual de las personas a través del uso del experimento de los 30 días. Puede usar este acercamiento en casi cualquier situación donde encuentre expresiones de hostilidad, incredulidad o duda. El principio es: cuando tenga duda sobre lo que tenga que decir, deje que Dios sea el que hable.

OTRAS PREGUNTAS Y MÁS PANTALLAS DE HUMO

Repasemos rápidamente otras objeciones que puedan aparecer durante una oportunidad de testificar de Cristo y las respuestas sugeridas a cada una.

"Soy ateo. Dios no existe".

"Juan, ¿Sabes todo lo que se puede saber?"

"Claro que no. Aun Einstein apenas rasgó la superficie del conocimiento".

"De todo el conocimiento del mundo, ¿qué porcentaje crees que sabes? ¿Ochenta por ciento?"

"¡No, no! Tal vez comprendo 1 o 2% como máximo".

"Bien. Pero supongamos que conoces el 80%. ¿No sería posible que Dios existiera en ese 20% del conocimiento que aún no conoces?" (Pase ahora a explicar Las Cuatro Leyes Espirituales.)

"Yo creo que Dios está en todos los hombres".

"Natalia, ¿crees que Jesucristo fue un mentiroso?"

"No, claro que no. Posiblemente Él fue la persona más íntegra que haya existido".

"Si no era un mentiroso, ¿era tal vez un pobre lunático engañado?"

"No, ¿por qué me pregunta eso?"

"La verdad es que sólo hay tres alternativas. Si no era un mentiroso y si no era un lunático, entonces lo que dijo tenía que ser la verdad. Como cuestión de integridad intelectual, ¿no te gustaría considerar lo que Él dijo sobre la relación del hombre con Dios?" (Pase ahora a explicar Las Cuatro Leyes Espirituales.)

"Jesús fue un gran maestro, una persona muy íntegra. Pero no creo que fuera Dios".

Use el acercamiento mentiroso/lunático ilustrado arriba. Luego, cuando explique las tres alternativas, diga, "si no era un mentiroso y si no era un lunático, entonces lo que dijo acerca de Sí mismo tenía que ser verdad. Tenía que ser quien dijo que era. Como asunto de integridad intelectual, ¿no te gustaría considerar lo que Él enseñó acerca de Su relación con Dios?" (Pase ahora a explicar Las Cuatro Leyes Espirituales.)

"Yo creo que si somos buenas personas y no dañamos a nadie, iremos al cielo".

De nuevo, utilice el acercamiento mentiroso/lunático. Cuando explique la tercer alternativa, diga: "...entonces lo que Él dijo tendría que ser la verdad. Como asunto de integridad intelectual, ¿no le gustaría considerar lo que Él enseñó sobre la vida eterna?" (Pase ahora a explicar Las Cuatro Leyes Espirituales y haga especial énfasis en Efesios 2:8,9 "porque por gracia sois salvos por medio de la fe; y esto no de vosotros, pues es don de Dios; no por obras, para que nadie se gloríe".)

"No creo en la Biblia".

"Déjeme hacerle una pregunta. El mensaje principal de la Biblia, que sin duda alguna es la principal obra de literatura de la historia, es cómo una persona puede tener vida eterna. ¿Sabe usted lo que la Biblia enseña sobre este tema?"

"No creo en la vida eterna".

"No le estoy preguntando lo que usted cree, sino lo que usted comprende. ¿No le parece que sería una falta de integridad intelectual rechazar el libro más importante del mundo sin comprender su mensaje principal?"

La mayoría de las personas pensarían que la manera de obtener la vida eterna es guardando los Diez Mandamientos o La Regla de Oro y siendo honrados y haciendo cosas buenas.

"Juan, esa es una respuesta interesante, pero es lo opuesto de lo que la Biblia enseña. Ahora le quiero pedir que sea objetivo y que ejercite su integridad intelectual. ¿No cree que un acercamiento más intelectual sería investigar lo que la Biblia dice sobre este asunto? Así usted podrá hacer una decisión inteligente, si aceptarla o rechazarla". (Pase ahora a explicar Las Cuatro Leyes Espirituales.)

"He visto demasiados cristianos hipócritas"

"Natalia, cada vez que miramos a los hombres en lugar de Dios, veremos pecado y faltas. Los cristianos siguen siendo humanos y aun tendrán fracasos porque Dios les da la opción de escoger si Él está en control o ellos mismos controlan sus vidas.

"Alguien ha dicho que "la iglesia es un hospital para pecadores, no un hotel para santos." También me gusta ese dicho que dice: "La iglesia no es una tienda, es un taller de reparación." Es muy cierto, el hacerse cristiano no significa que uno es perfecto, sino solamente que es perdonado.

Todavía seguimos pecando, pero a medida que permitamos que Dios nos controle, el pecado se vuelve cada vez menos atractivo.

"La cuestión más importante no es ¿qué sobre los hipócritas?, sino ¿qué sobre mi pecado y cuál es la provisión de Dios para mí? ¿Le gustaría investigar lo que Jesucristo dijo acerca de cómo Dios se puede relacionar con usted?" (Pase ahora a explicar Las Cuatro Leyes Espirituales.)

"Yo voy a la iglesia, sirvo en tal o cual comité y fui criado en una buena familia".

"Me doy cuenta que usted ha hecho todas estas cosas. Sin embargo, ¿alguna vez ha recibido personalmente a Cristo como Señor y Salvador?"

"No estoy seguro".

"¿Le gustaría estar seguro?" (Pase ahora a explicar Las Cuatro Leyes Espirituales.)

"No estoy interesada".

"Comprendo. Quizás sea porque no ha tenido mucha oportunidad de pensar sobre el tema. Si usted es como la mayoría de las personas, es posible que en el futuro llegue el momento cuando las cosas espirituales se vuelvan importantes. Me gustaría darle algo que ha significado mucho para mí en esta área. ¿Por qué no lo lleva a su casa y lo lee para ver lo que piensa?" (Escriba su nombre, dirección y teléfono en la contratapa del folleto y entrégueselo. Desafíelo a comenzar el experimento de los 30 días.)

Respuestas a la pregunta "¿Cuál círculo representa su vida?" (página 9 de Las Cuatro Leyes Espirituales)

1. Si la persona responde "el círculo de la izquierda", simplemente continúe la presentación haciendo la siguiente pregunta.

2. Si dice, "no estoy seguro", o "estoy en medio", o si permanece en silencio, simplemente continúe la presentación haciendo la siguiente pregunta.

3. Si la persona responde, "el círculo de la derecha", continúe la presentación del folleto para mostrarle cómo

puede compartir su fe con otros. Usted podría decir. "¡Qué bueno!, me da gusto saber que Cristo está en su vida. Déjeme terminar de leer el folleto para que lo pueda usar para compartir su fe en Cristo con otras personas".

● Si es cristiano, el resto de la presentación le ayudará a aprender cómo presentar las aseveraciones de Cristo a otros.

● Si no es cristiano, se dará cuenta de ello después de repasar la oración sugerida.

● Después de leerla, pregunte: "¿Alguna vez ha recibido a Cristo de la manera que lo expresa esta oración?" Si lo ha hecho, anímele a que use esta presentación para testificar a otros. Si no lo ha hecho, déle la oportunidad de invitar a Cristo a su vida allí mismo, "para estar seguro y no tener duda alguna que ha recibido a Cristo en su vida".

Respuestas a la pregunta, "¿Cuál círculo le gustaría que representara su vida?"

1. Si la persona responde: "el círculo de la derecha", simplemente continúe leyendo el folleto hasta la transición en la parte de abajo de la página que dice: "A continuación se explica cómo usted puede recibir a Cristo".

2. Si responde que no está seguro, o si permanece en silencio, continúe leyendo el folleto.

3. Si contesta: "el círculo de la derecha", no deje que esto le sorprenda. Manténgase positivo y con una actitud amorosa. Usted podría decir: "Juan, en algún momento de su vida usted querrá recibir a Cristo. Déjeme mostrarle cómo usted puede invitar a Cristo a su vida para que cuando ese momento llegue, sepa cómo hacerlo. ¿Le parece bien?" Continúe leyendo hasta la oración.

Respuestas a la pregunta "¿Expresa esta oración el deseo de su corazón?" (página 10)

1. Si dice "sí", diga: "¿Le gustaría repetir esta oración después de mí frase por frase?" Si la persona se siente incómoda orando en voz alta, usted podría pedirle que leyera la oración en silencio, haciendo la oración en su corazón.

En este punto, sea sensible a su nivel de comodidad. En muchos casos, si una persona duda en orar conmigo, le doy el folleto y le animo a hacer la oración silenciosamente. O, si no desea hacerlo, le animo a que haga la oración al llegar a su casa. En muchas ocasiones, tales personas me han llamado por teléfono o por carta para decirme que lo hicieron.

2. Si dice que le gustaría hacer la oración en su casa, diga: "Me parece bien. Muchas personas prefieren hacerlo en privado. Tomemos un momento para revisar lo que sucederá en su vida cuando usted reciba a Cristo esta noche". Lea la parte inferior de la página 11 y los cinco puntos de la página 13.

3. Si dice "no", mantenga un espíritu positivo y amoroso. De nuevo, usted podría decir: "Es una decisión importante, y me da gusto que no la tome a la ligera. Déjeme mostrarle lo que sucederá si usted le pide a Cristo que entre a su vida esta noche". Lea la sección inferior de la página 11 y los cinco puntos de la página 13.

"No estoy listo".

"Es una decisión importante, la más importante que usted haga en toda su vida porque afecta cómo usted pasará la eternidad. Aprecio el hecho que no la está tomando a la ligera. Sin embargo, puede que llegue un momento cuando esté listo. ¿Le gustaría llevarse el folleto y leerlo para que, cuando ese momento llegue, sabrá cómo recibir a Cristo?"

PLANTANDO LA SEMILLA

Nunca deje que las objeciones le intimiden. Trate con ellas de la mejor manera que pueda y siempre trate de regresar la conversación a la oración sugerida. Si la respuesta sigue siendo negativa, escriba su nombre, dirección y número de teléfono en la contraportada del folleto y déselo a la persona. Descubrirá que muy a menudo, la persona dudosa vuelve a leer del folleto y recibe a Cristo en la privacidad de su casa.

Desafíelo a realizar el experimento de los 30 días. Luego, ore por él, dejando los resultados a Dios. Usted ha plantado una semilla que Dios madurará en Su tiempo perfecto.

Cuando Carlos estaba en su último año de periodismo en la Universidad de Misouri, compartió a Cristo con David, un prometedor estudiante de primer año de periodismo. David consideró el mensaje del evangelio cuidadosamente pero respondió: "No creo estar listo para este tipo de decisión".

Bueno, he plantado una semilla, pensó Carlos, mientras oraba por David. Durante el año siguiente, a menudo visitaba a David en su habitación para discutir periodismo y deportes, pero cuando Carlos se graduó, David aún no era cristiano.

En su segundo año, David asistió a una conferencia por Josh McDowell quien de nuevo enfatizó la necesidad de una relación personal con Cristo. A estas alturas, David ya estaba listo: invitó a Cristo a su vida y más adelante comenzó a estudiar la Biblia con un grupo de estudiantes cristianos.

Dios a veces actúa de maneras misteriosas. David se graduó de periodista y se unió como coordinador de la Cruzada Estudiantil y Profesional para Cristo donde ahora funge como editor de la revista Worldwide Challenge. Uno de sus principales editores asociados es Carlos, el joven que había "plantado la semilla" hace muchos años. Juntos han influenciado las vidas de miles de personas para Cristo a través de la revista que es enviada a más de 100.000 hogares cada dos meses.

Así que nunca deje que la hostilidad, las preguntas o las objeciones le desanimen. Dios es soberano, le ha dado a usted la tarea de compartir fiel, inteligente y amorosamente el evangelio, y usted puede dejar los resultados a Él. Nuestra tarea es sencillamente obedecer, la Suya es cambiar los corazones de los hombres y de las mujeres con quienes compartimos.

RESUMEN

● En muchos casos, las expresiones de hostilidad son solamente una máscara que cubre un deseo interno de conocer a Dios.

● Al responder las preguntas y objeciones con calma y amor, usted puede guiar a la persona a través de las cortinas de humo para que pueda tomar una decisión inteligente.

● Nunca discuta o trate de forzar a la persona a tomar la decisión.

● Apele a la integridad intelectual de la persona a través del experimento de los 30 días.

● Utilice el acercamiento mentiroso/lunático cada vez que se cuestione la existencia de Dios, la deidad de Cristo, la realidad de la vida eterna o la necesidad de recibir a Cristo personalmente.

● Siempre que la persona rechace a Cristo, déjele algo para leer.

PARA REFLEXIÓN Y ACCIÓN

1. No permita que la posibilidad de preguntas difíciles, objeciones o el rechazo le eviten compartir el evangelio. En la mayoría de los casos ninguna de estas situaciones aparecerá.

2. Memorice los conceptos básicos del experimento de los 30 días y el acercamiento mentiroso/lunático. Encontrará que tan sólo estos dos acercamientos le podrán ayudar en casi toda circunstancia.

3. Con un amigo cristiano, practique las contestaciones a las diferentes respuestas que las personas dan a las preguntas de los círculos, (página 9 del folleto de Las Cuatro Leyes Espirituales) y a la invitación a orar (página 10).

4. Estudie las respuestas sugeridas a las otras objeciones posibles que se han discutido en este capítulo.

5. La Biblia afirma claramente que la Palabra de Dios nunca regresa vacía (Isaías 55:11). Pregúntese, ¿Qué significa para mí esta promesa bíblica cuando testifico del Señor?

❖11❖

Cómo discipular al nuevo creyente

Hace varios años, uno de nuestros coordinadores me mostró una copia de la revista *Sports Illustrated*. La foto de la portada era del más reciente ganador del trofeo Heisman, el mejor jugador del año de fútbol americano universitario.

"Le presento a su tataranieto", me dijo el coordinador, con una sonrisa de oreja a oreja.

"¿Qué quiere decir?", le pregunté.

"Bueno", me explicó, "usted llevó a Jaime a Cristo, Jaime me llevó a Cristo y yo llevé a Esteban (el ganador del trofeo Heisman) a Cristo".

Qué bendición fue para mí ver como un joven, a quien yo había tenido el privilegio de llevar a Cristo, ya era directamente responsable de dos generaciones de nuevos creyentes. Él había tomado la capacitación que le compartí, luego lo pasó a otro, quien a su vez estaba discipulando a otro.

El proceso de discipulado es especialmente importante para los nuevos cristianos. En los días, semanas y meses después de su decisión de recibir a Cristo, encontrarán dudas, emociones conflictivas y preguntas sobre lo que han hecho. Seguirán expuestos al mismo mundo negativo y humanista que conformaba su perspectiva antes de Cristo. Las tentaciones continuarán martillándoles, a veces más intensamente que antes. Muchas veces, las personas que más aman no tomarán en cuenta y hasta ridiculizarán su decisión.

Por eso es que la edificación inmediata es tan vital para el nuevo convertido. Es tan sólo un bebé en Cristo, de regreso de la experiencia en la cima de la montaña de haber recibido a Cristo, de nuevo metido en este ambiente hostil. Necesita ayuda para comprender el amor y provisión de Dios para él y cómo el vivir para Cristo afecta su caminar diario.

Cuando un cristiano maduro considera el valor de un alma, la que Jesús enseñó vale más que toda la riqueza del mundo, estará dispuesto a ayudar a cada nuevo cristiano a crecer y convertirse en un verdadero discípulo.

EL DISCIPULADO MODELADO POR CRISTO Y POR PABLO

Nuestro Señor pudo haber pasado todo su tiempo en el evangelismo. Sin embargo, pasó mucho tiempo discipulando aquéllos más cercanos a Él, especialmente los doce. Consideró que el discipulado era tan importante que lo incluyó en su orden de cumplir la gran comisión: "enseñándoles que guarden todas las cosas que os he mandado..." (San Mateo 28:20).

El apóstol Pablo tomó en serio esta orden del Señor. A los colosenses escribió: "a quien anunciamos, amonestamos a todo hombre en toda sabiduría, a fin de presentar perfecto en Cristo Jesús a todo hombre" (Colosenses 1:28).

En su segunda carta a Timoteo, Pablo le aconsejó: "Lo que has oído de mí ante muchos testigos, esto encarga a hombres fieles que sean idóneos para enseñar también a otros" (2 Timoteo 2:2).

EL PRINCIPIO DE LA MULTIPLICACIÓN

Aunque Jesús puso un fuerte énfasis en el dar un testimonio hablado, y el apóstol Pablo fue influenciado por Su ejemplo e instrucciones, no se detuvieron allí. Enfatizaron la importancia de llevar a los nuevos convertidos hacia la madurez espiritual para que (1) se hicieran fuertes en el Señor, y (2) enseñaran a otros las mismas cosas que habían aprendido. El evangelismo, el discipulado y la multiplicación espiritual estaban integrados en todo lo que el Señor Jesús y el apóstol Pablo hicieron, y por esta razón, la iglesia primitiva creció en forma tan dramática.

El mismo principio es verdad hoy en día. En los primeros años de mi ministerio personal, yo pasaba considerablemente más tiempo meditando si debía concentrarme únicamente en el evangelismo o buscar el doble objetivo de evangelismo y discipulado. Después de mucha reflexión y oración, decidí que el Señor me había llamado a hacer ambos. Así que trabajé intensamente con aquéllos que recibieron a Cristo a través de mi ministerio, para edificarlos en su fe e instruirlos sobre cómo alcanzar a otros. A medida que otros se unían al equipo de tiempo completo, continuamos haciendo un gran énfasis tanto en el evangelismo como en el discipulado.

Viendo hacia atrás, siento alegría de haber hecho semejante decisión; la matemática más elemental nos muestra la sabiduría del énfasis de nuestro Señor en hacer discípulos. Si usted llevara personalmente al Señor a una persona cada día, y ninguna de ellas llevara a alguien más a Cristo, el resultado, después de 35 años serían casi 13.000 almas para Cristo. Sin embargo, si usted les enseñara a esos nuevos creyentes cómo presentar a Cristo a otros, y ellos a su vez le enseñaran a sus discípulos cómo testificar del Señor, el resultado de los 35 años andaría por los miles de millones.

Obviamente, las cosas en la vida no suceden tan ordenadamente. No siempre es posible discipular personalmente a todos los que hemos llevado al Señor. Como en la parábola del sembrador, algunos caen; otros son tibios y sencillamente no obedecen la orden del Señor Jesucristo de compartir el evangelio.

Sin embargo, el principio de la multiplicación ilustra cómo realmente el mundo puede ser cambiado a través de las vidas de aquellos que se convierten en verdaderos discípulos. Esta es la meta que hemos querido mantener frente a nosotros en el ministerio de la Cruzada Estudiantil y Profesional para Cristo, y yo creo que este ha sido una de las claves de nuestro crecimiento y bendición espiritual.

"EDIFICACIÓN INMEDIATA": LA ETAPA INICIAL

"Edificación" es un término acuñado para describir las etapas vitales al inicio del discipulado. Idealmente, la edificación comienza dentro de las siguientes veinticuatro horas en que el nuevo creyente hizo su decisión por Cristo y lo hace personalmente ya sea la persona que lo llevó a Cristo o un cristiano de confianza a quien se le ha delegado esta tarea.

El trabajo del discipulador durante la edificación es proveer ánimo, responder preguntas y dar apoyo de oración; ayudar al nuevo creyente a comprender y aumentar su compromiso con el señorío de Cristo; a ponerle en contacto con otros cristianos y con una iglesia donde se enseñe la Biblia; ayudar a nutrir a este bebé en Cristo desde la leche hasta el alimento sólido a través de un estudio bíblico introductorio sistemático y un programa de testificar de Cristo regularmente.

CUANDO SE TOMA LA DECISIÓN

Usted recordará que cuando alguien recibe a Cristo con usted, es importante obtener su dirección y número telefónico. Si usted vive cerca, establezca una cita para reunirse el siguiente día (dentro de dos días como máximo). Explíquele que usted quiere darle más información que le ayudará a comenzar su nueva vida. Anímele a llevarse a casa el folleto de Las Cuatro Leyes Espirituales y volverlo a leer esa noche para reafirmar el amor de Dios por él y la decisión que acaba de hacer. Además, debe leer los primeros tres capítulos del evangelio de San Juan esa misma noche. Pídale que venga a la primera cita con cualquier pregunta que se le haya ocurrido.

Si no vive cerca, pídale su autorización para llamarle y ver cómo le va, luego llámele al siguiente día. Dentro de ese mismo período de veinticuatro horas, ponga en el correo una carta de ánimo, junto con una copia del concepto "Cómo estar seguro de ser cristiano", el primero de la serie de los "Conceptos transferibles", que han sido escritos para ayudar al nuevo creyente a dar sus primeros pasos en la fe. (Los Conceptos Transferibles y otros materiales recomendados para testificar de Cristo y dar seguimiento generalmente están disponibles en la librería cristiana local o en las oficinas de la Cruzada Estudiantil y Profesional Para Cristo en su localidad. Vea el apéndice E para mayor información.)

LA PRIMERA CITA DE EDIFICACIÓN

La primera cita de edificación (o llamada telefónica) es para reforzar el significado de lo que Dios está haciendo en la vida del nuevo cristiano. A continuación los puntos que deben cubrirse:

1. Preguntas que el nuevo creyente pueda tener.

2. El asunto de los sentimientos. Revise el diagrama del tren en la página 12 del folleto de Las Cuatro Leyes Espirituales.

3. La seguridad de salvación. *Pregunte:* "¿Dónde está Cristo ahora en relación a usted?" Revisen Apocalipsis 3:20. *Pregunte:* "Si usted muriera esta noche, ¿Sabe sin lugar a dudas que iría al cielo?" Revise 1 Juan 5:11-13. *Pregunte:* "¿Le dejará Cristo alguna vez?" Revisen Hebreos 13:5.

4. Revisen las "varias cosas que ocurrieron", que aparecen en la página 13, buscando y leyendo juntos los versículos bíblicos que apoyan cada punto:

- Cristo ha entrado a su vida (Apocalipsis 3:20)
- Sus pecados han sido perdonados (Colosenses 1:14)
- He llegado a ser hijo de Dios (San Juan 1:12)
- Ha recibido vida eterna (San Juan 5:24)
- Ha comenzado la gran aventura para la cual Dios le creó (San Juan 10:10; 2 Corintios 5:17; 1Tesalonicenses 5:18).

5. Déle una copia del Concepto Transferible, *Cómo estar seguro de ser cristiano.* Pídale que lo lea durante los siguientes

dos días y fijen una cita (o llamada) dentro de las próximas setenta y dos horas. Usted podría decir: "Juan, es realmente importante que comience correctamente su caminar con Dios. ¿Estaría bien si nos reunimos regularmente para estudiar la Biblia juntos y para ver cómo se aplica a nuestras vidas?"

6. Anímele a que comience a leer el evangelio de San Juan temprano en la mañana, o por la noche, antes de acostarse. Preséntelo como un relato histórico de la vida de Jesucristo y lo que su vida significa para nosotros.

7. Oren juntos, dándole gracias a Dios por la salvación y la nueva vida que Él ha dado a su amigo.

LA SEGUNDA CITA DE EDIFICACIÓN

Hasta donde sea posible, su segunda cita de edificación debe realizarse tres días después de la primera. Esta frecuencia al inicio del proceso de discipulado ayudará a construir un sentido de *momentum* positivo en el patrón de crecimiento del nuevo cristiano y ayudará a prevenir que las dudas, las preguntas y los problemas diarios lo acongojen.

1. Oren juntos, pidiendo a Dios que bendiga su tiempo de compañerismo.

2. Pregúntele si ha leído *Cómo estar seguro de ser cristiano*. Responda cualquier pregunta que pueda tener y luego revisen las preguntas del folleto y ayúdele a formular sus respuestas para llenar los espacios en blanco.

3. Descubra cómo le va en la lectura del evangelio de San Juan. Podría preguntarle: "¿Cuáles son las verdades más importantes que ha descubierto en su lectura?" Trate lo mejor que pueda de responder sus preguntas (si no conoce una respuesta, sea sincero y dígaselo; prométale que tratará de obtener la respuesta lo más pronto posible). Anímele a que siga leyendo.

4. Déle el segundo Concepto Transferible, *Cómo experimentar el amor y perdón de Dios*. Pídale que lo lea por completo y que responda las preguntas antes de la siguiente reunión.

5. Invítelo a ir a la iglesia con usted el próximo domingo. Ofrézcale recogerlo y si puede, invítelo a almorzar después de la iglesia.

(Si está dando el seguimiento a distancia, envíele por correo el Concepto Transferible recomendado y coméntenlo brevemente por teléfono. Anímele a que le escriba con más preguntas y con reportes regulares sobre su crecimiento espiritual. A través de su pastor o de otras fuentes de confianza, localice una buena iglesia en el lugar donde vive su amigo y anímelo a que asista. Escríbale una nota al pastor de esa iglesia animándole a que invite a su amigo a las actividades del próximo domingo.)

6. Hagan oración juntos y fijen su próxima cita para dentro de aproximadamente una semana a partir de hoy.

REUNIONES POSTERIORES

Existen 10 Conceptos Transferibles y hemos encontrado que la serie de libritos es muy efectiva para ayudar al nuevo creyente. En sus reuniones subsiguientes podrían cubrir algunos o todos los conceptos restantes:

- Cómo puede usted estar seguro de conocer a Dios
- Cómo puede usted experimentar el amor y perdón de Dios
- Cómo puede usted ser lleno del Espíritu Santo
- Cómo puede usted caminar en el Espíritu Santo
- Cómo puede usted ser un testigo fructífero
- Cómo puede usted conducir a otros a Cristo
- Cómo puede usted ayudar a cumplir la Gran Comisión
- Cómo puede usted amar por fe
- Cómo puede usted orar con confianza
- Cómo puede usted experimentar la aventura de dar

Siempre planifique y prepárese con anticipación, pero nunca permita que las citas sean tan rígidas que no le permitan responder a las preguntas y preocupaciones que el discípulo pueda tener. Su principal propósito es ayudarle a desarrollar un estilo de vida de amor, fe, obediencia y de proclamar a Cristo.

DIRIJA CON EL EJEMPLO

Deje que su entusiasmo personal por el Señor y Su Palabra sea evidente en su caminar diario. No podemos esperar que otros se conviertan en estudiantes de la Palabra a menos que nosotros seamos estudiantes de la Palabra. No podemos esperar que llevan a otros a Cristo a menos que nos vean llevando a otros a Cristo. Por ejemplo, usted puede modelar la vida cristiana práctica: victoria sobre las circunstancias, fe en momentos difíciles, un estilo de vida centrado en Cristo, con santidad e integridad; y amor, gozo, paz, paciencia, benignidad, bondad, mansedumbre, fe y templanza, o sea dominio propio.

Sin embargo, es obvio que usted no puede esperar llegar a la perfección interior antes de poder discipular a otra persona. Sea franco con su discípulo compartiendo sus propias debilidades y luchas. Muéstrele cómo usted "respira espiritualmente" cuando falla, invítelo a orar con usted durante los momentos difíciles. Usted descubrirá que, además de enseñar con el ejemplo, usted realmente crecerá junto con sus discípulo.

ORE POR ÉL

El Señor Jesús oraba por sus discípulos y por todos aquellos que en el futuro vendrían a creer en Él, incluyéndonos a nosotros (San Juan 17). El apóstol Pablo también oró por todos aquéllos que el Señor había puesto a su cargo. Por ejemplo, en Efesios 1:17,18: "pido constantemente a Dios por ustedes. Pido constantemente a Dios, el glorioso Padre de nuestro Señor Jesucristo, que les dé suficiente sabiduría para ver claramente y entender de veras quién es Cristo y las grandes cosas que ha hecho por ustedes". (Biblia al Día)

Ore diariamente por el nuevo creyente.

ENSEÑE CRECIMIENTO ESPIRITUAL

Al seguir reuniéndose con su nuevo amigo cristiano, el seguimiento madurará en un discipulado cuando le lleve de la "leche" hacia el "alimento sólido". Enseñar las verdades necesarias para el crecimiento cristiano, incluye varios aspectos importantes:

Esté seguro que tiene seguridad de salvación. Apocalipsis 3:20, Hebreos 13:5 y 1 Juan 5:11-13 contienen promesas esenciales que cada nuevo cristiano debe memorizar. Revisen juntos estos pasajes varias veces, repitiendo estas preguntas: (1)"¿Dónde está Cristo ahora en relación con usted?" (Apocalipsis 3:20 y Hebreos 13:5); (2) "¿Cuándo usted muera, qué le sucederá?" (1 Juan 5:11-13).

Anímele a que ponga a Cristo en el centro de su vida, según Romanos 12:1,2; Gálatas 2:20 y otros pasajes similares. El hombre ha sido creado de manera que no encontramos satisfacción hasta que no reconocemos nuestra responsabilidad ante Dios y obedecemos Sus mandamientos. Enfatice que no existen cristianos desobedientes, gozosos y satisfechos. Por el contrario, no existen cristianos verdaderamente obedientes que no experimenten gozo a pesar de las circunstancias.

Enséñele siendo ejemplo, instruyéndole en la Palabra de Dios y presentándole a otros hombres y mujeres santos. Ayúdele a ver la diferencia entre el estilo de vida del no-cristiano y de uno que ha hecho de Cristo su Señor.

Enséñele cómo caminar bajo el control y poder del Espíritu Santo. El enfatizar la vida cristiana sin una comprensión adecuada del ministerio personal del Espíritu Santo únicamente conduce a la frustración, al legalismo y la derrota.

La verdad más liberadora que usted puede enseñar a su discípulo es el concepto de la respiración espiritual: cómo exhalar espiritualmente confesando el pecado y cómo inhalar espiritualmente apropiándose del control y limpieza del Espíritu de Dios por fe. (Ver apéndice C, "Cómo caminar en el Espíritu Santo"

Ayúdele a comprender la importancia de leer regularmente la Palabra de Dios, y de estudiarla, memorizarla y meditar diariamente en sus verdades. La Biblia es la Palabra santa e inspirada de Dios para el hombre. Es imposible llegar a ser un discípulo maduro sin una comprensión de la Palabra de Dios. Ayude a su discípulo a darse cuenta de que cada problema espiritual y práctico con que se encuentre tiene la respuesta en la Palabra de Dios, directa o indirectamente.

Enséñele la importancia del compañerismo cristiano, especialmente a través de la iglesia local y los grupos pequeños de estudio bíblico. Los cristianos se necesitan unos a otros para darse ánimo, para cuidarse mutuamente, aprender unos de otros y ser responsables unos de otros. Anime a su discípulo a bautizarse y que se una a un grupo de creyentes donde se enseñe la Biblia. El bautismo es parte del compromiso del cristiano hacia Cristo, que a veces se omite en el proceso de la edificación espiritual. En la Gran Comisión, Jesús dijo: "por lo tanto, vayan y hagan discípulos (y) bautícenlos...y enséñelos..." Es importante que los creyentes sean bautizados como un acto de obediencia y como un testimonio público de su compromiso con Cristo.

Enfatice la importancia del amor. Lea los grandes pasajes en la Biblia que enfatizan el amor, especialmente 1 Corintios 13, y pídale al Señor que demuestre esa cualidad en su propia vida, para ser ejemplo. Como Jesús nos recuerda en San Juan 13:35, "En esto conocerán todos que sois mis discípulos, si tuviéreis amor los unos por los otros". Estudien juntos el Concepto Transferible, *Cómo amar por fe.*

Enseñe a su discípulo a ser buen mayordomo de todo lo que Dios le ha confiado. Nunca debemos olvidar que todo lo que tenemos es un regalo de Dios. Ayude a su discípulo a comprender el principio de honrar a Dios en la forma en que usa su mente, su cuerpo y su espíritu, al igual que su tiempo, sus talentos y tesoros. Ayúdele a planear y usar su tiempo sabiamente, anímele a que desarrolle sus habilidades para utilizarlas en la obra de Dios; y ayúdele a que aprenda a utilizar su dinero sabiamente y a hacer tesoros en el cielo.

Enséñele cómo testificar de Cristo invitándole a salir a testificar con usted. No es suficiente explicar todos los métodos, técnicas y estrategias; no es suficiente que aprenda a usar Las Cuatro Leyes Espirituales. Así como aprendemos a orar haciendo oración, uno aprende a testificar, hablando de Cristo. Enséñele cómo escribir su testimonio personal de tres minutos (capítulo 7), y luego ayúdele a corregirlo y ensayarlo. Después que le haya observado a usted testificando unas dos veces, pídale que se haga cargo de la siguiente persona.

Finalmente, *impártale una visión para el cumplimiento de la Gran comisión de nuestro Señor y Salvador.* Por ejemplo, si su discípulo es estudiante, planeen juntos cómo compartir el mensaje en los salones de clase, en los dormitorios y otros segmentos de la población estudiantil. Si su discípulo es casado, comparta cómo junto con su esposa pueden ganar y discipular a las parejas en su vecindario para Cristo. Si está discipulando a un hombre de negocios, muéstrele cómo puede comenzar estudios bíblicos y almuerzos evangelísticos para ayudar a alcanzar a otros en la comunidad de hombres de negocios. Este tipo de actividades se realizan con éxito todos los días por cristianos que son motivados por el amor de Dios para compartir las "más grandes noticias que se hayan anunciado". Mientras imparte la visión para alcanzar las áreas de influencia de su discípulo, ayúdele a comprender su privilegio y responsabilidad para ayudar a ganar el mundo entero.(Hechos 1:8)

¿QUÉ DE LOS FRACASOS?

A menudo he derramado lágrimas de pena y dolor por las personas en las cuales he invertido mucho tiempo y oración, sólo para ver cómo se alejan del Señor y le ofenden. Después Dios me recuerda que ellos eran Su responsabilidad. Me recordó la Parábola del Sembrador que enseñó Cristo, donde Él dice que no toda la semilla cae en buena tierra. Algunas personas se apartan. A pesar de que esto desilusiona, he aprendido que necesito seguir confiando en Dios y no desanimarme en mis esfuerzos por ganar y edificar hombres y mujeres para Cristo. Así como el éxito al testificar consiste sencillamente en tomar la iniciativa de presentar a Cristo en el poder del Espíritu Santo, dejando los resultados a Dios, de la misma manera:

La edificación inmediata y con éxito es sencillamente tomar la iniciativa para edificar discípulos en el poder del Espíritu Santo, dejando los resultados a Dios.

Tome muy en serio la edificación y el discipulado, pues van de la mano con el testimonio fructífero y eficaz. Nunca pase por alto la oportunidad de testificar de Cristo, solamente porque piensa que no le será posible edificar a alguien. Recuerde que siempre podrá dirigir a un nuevo creyente a un pastor o con otro cristiano que trabaje junto con él.

De la misma manera nunca deje de edificar o discipular a un nuevo creyente cuando se le presente la oportunidad. No solamente estará ayudando a una persona a crecer y convertirse en un miembro maduro del Cuerpo de Cristo, sino que experimentará la bendición extraordinaria de ser uno de los escogidos por Dios para este proceso divino.

RESUMEN

●Es importante empezar la edificación inmediata del nuevo cristiano dentro de las cuarenta y ocho horas después de su conversión.

●Si el nuevo cristiano no vive cerca de usted, comprométase a escribirle varias cartas o hacerle varias llamadas telefónicas para ayudarle en su vida cristiana. Diríjalo a una buena iglesia en su área y escríbale al pastor para que tome la iniciativa de invitar a su amigo a las actividades de su iglesia.

● Aparte tiempo para contestar las preguntas y preocupaciones del nuevo cristiano. Use la serie de los Conceptos Transferibles y anímele a escribir sus respuestas a las preguntas de estudio.

● Anime a su amigo a participar en una iglesia donde se enseña la Biblia y en un grupo pequeño de estudio bíblico.

● Haga oración diariamente por su discípulo.

● Modele mediante su ejemplo personal diario, los atributos de una vida llena del Espíritu Santo.

PARA REFLEXIONAR Y ACTUAR

1. Si usted recibió a Cristo siendo un adulto, piense en las primeras veinticuatro horas después de su conversión. ¿Qué pensamientos pasaban por su mente? ¿Qué dudas y preguntas tenía? ¿Cómo respondieron sus amigos y seres queridos?

2. Visite su librería cristiana y examine los Conceptos Transferibles. (U ordénelos directamente de la oficina de la Cruzada Estudiantil y Profesional para Cristo. Vea el apéndice E.) Adquiera varias copias de *Cómo puede usted estar seguro de conocer a Dios* y *Cómo puede usted experimentar el amor y perdón de Dios* y estúdielos para referencias futuras y para compartirlos con otros a los que desee animar en su crecimiento cristiano.

3. ¿Conoce usted a algunos nuevos cristianos ahora mismo (ya sea que usted los haya llevado al Señor o no) quienes se beneficiarían si usted los discipulara? Pregúnteles si les gustaría reunirse con usted para comentar esta posibilidad. Si están de acuerdo, empiece a usar los principios de este capítulo al reunirse con ellos en forma regular.

4. ¿Habrá alguien a quien usted guió a Cristo en el pasado, con quien ha perdido todo contacto? Pregúntele a Dios si Él quiere que usted tome la iniciativa de volver a establecer contacto, reanudar la amistad y posiblemente continuar el proceso de discipulado.

5. Esté seguro todo el tiempo, pero en especial cuando está dando edificación inmediata y discipulando, de que usted está lleno del Espíritu Santo, que el Señor está en el trono de su vida. Mantenga su motivación enfocada en amar y honrar al Señor en todo lo que haga.

❧12❧

¡Nunca se sabe...!

Era el día de la inauguración presidencial en 1981. Amaneció una helada mañana de enero en Washington D.C., pero uno no rehúsa una invitación a un evento de esta magnitud. Me sentía honrado de haber sido invitado a ver cómo Ronald Reagan era juramentado en el cargo de Presidente de los Estados Unidos y también a participar en otras actividades de esa semana.

Durante muchos años había tenido el privilegio de interactuar con muchos personeros del gobierno en Washington, y muchos de ellos habían entregado su vida al Señor. También había sido un privilegio interactuar con muchos hombres y mujeres, taxistas, recamareras de hotel y otros con quienes el Señor me había puesto en contacto.

He compartido sinceramente con usted cómo las circunstancias de testificar de Cristo no siempre son "fáciles" o "naturales" para mí. Sin embargo, he encontrado que a medida que obedezco al Señor en amor y gratitud hacia Él, ha bendecido mi iniciativa y realmente ha enriquecido mi vida con una profunda felicidad interior que sólo puede venir de ayudar a otro ser humano a conocer al Señor Jesús.

Uno de los senadores más respetados del país era el presidente de los eventos del día de la inauguración mientras él dirigía las ceremonias, mi mente se volvió al pasado a través de tantos años para recordar muchas ocasiones en las cuales Dios ha obrado en las vidas de las personas...

Me acordé de la ocasión en que el decano de estudiantes de una universidad me invitó a dirigirme al cuerpo estudiantil y a otros grupos estudiantiles en la universidad. Él era miembro fiel de su iglesia y yo supuse que era cristiano por la naturaleza de su invitación. Al estar en la universidad durante varios días tuve el privilegio de ayudar a varios estudiantes a recibir a Cristo, y cada vez que alguien lo hacía, le pedía que fuera a ver al decano, confiado que estaría complacido.

Animé a estos estudiantes que formaran una clase de Biblia, y le pidieron al decano que fuera su patrocinador. Más tarde él me contó que un día, mientras visitaba una de estas clases de Biblia, "me sentí tan impresionado por el cambio en sus vidas que yo también decidí recibir a Cristo. Había sido miembro de una iglesia pero no era cristiano". Ese día al llegar a su casa, se puso de rodillas e invitó al Señor a su vida...

Recuerdo a la operadora del elevador de un hotel en Boston. Era uno de esos grandes hoteles antiguos, del tipo en que los elevadores necesitan de un operador. Yo estaba en la ciudad por unos días dando conferencias de capacitación y la conocí después de un largo día de reuniones.

Creo que andaba por los sesenta años. Se veía aburrida y cansada, y sus ojos miraban en blanco los números de los pisos mientras ascendíamos cada piso.

"¿Usted va para arriba y para abajo todo el día?", me animé a preguntarle.

"Sí", suspiró, "todo el día".

"Sabía usted que un día subirá y nunca más bajará, si es que está lista. ¿Está lista?"

Ella sabía bien de lo que yo estaba hablando. "No, no estoy lista".

"¿Le gustaría estar?"

Se volvió hacia mí en su banquito y por primera vez sus ojos hicieron contacto con los míos. "Sí, claro que me gustaría".

Aún después de todos estos años, me sorprende como Dios prepara a las personas. Él había preparado el corazón de esta mujer para Su mensaje de amor y esperanza. Saqué de mi bolsillo una copia del folleto de Las Cuatro Leyes Espirituales.

"¿Por qué no se lo lleva a casa y lo lee? Al final del folleto hay una pequeña oración, allí se explica qué hacer. La veo mañana para que hablemos más sobre el asunto".

Dios siempre obra poderosamente a través de su Palabra y esa noche usó el folleto de Las Cuatro Leyes Espirituales para cambiar, no sólo la vida de esa mujer, sino que otra vida también. Al siguiente día, entré al elevador y le pregunté qué había sucedido.

Su sonrisa la hizo parecer veinte años más joven. "Vivo en un pequeño apartamento de una habitación con mi madre, por lo que el único lugar donde encontré privacidad fue en el baño. Entré al baño, leí el folleto, me puse de rodillas y le pedí a Jesús que entrara en mi corazón.

"Luego salí y se lo leí a mi madre (quien debe haber tenido unos ochenta y cinco años por lo menos). Ella me dijo, yo también quiero hacerlo! Allí mismo le pidió a Cristo que entrara en su corazón. Ahora las dos sabemos hacia dónde vamos: ¡hacia arriba!"

Recuerdo la primera reunión de estudiantes en nuestra casa en la universidad de California en Los Ángeles (UCLA), la noche después que hablé en el club de las "mujeres hermosas". Una de las mujeres trajo a su novio, un jugador estrella del equipo de fútbol; él se me acercó en privado después de que yo había explicado cómo recibir a Cristo.

"Nunca antes había oído nada igual", me dijo. "Me gustaría hablar más con usted sobre el tema".

El siguiente domingo, con todos los músculos adoloridos después de una victoria en el campo de fútbol el día anterior, fue con Vonette, su novia y yo a la iglesia. Más tarde, cuando Maricela y Vonette preparaban el almuerzo, me dijo: "Toda mi vida he jugado fútbol para llegar a ser el mejor del país, pero al escucharlo a usted esta semana, se me ocurrió que si me quiebro una pierna y ya no pudiera jugar, no tendría nada por qué vivir. Me di cuenta que necesito a Dios".

Nos pusimos de rodillas y oramos. Al ponernos de pie, se sonrió y nos anunció: "ahora quiero ser el mejor jugador del país para Dios".

Llegó a ser el mejor jugador del país jugando por tres años en la universidad UCLA. Durante ese tiempo se mantuvo compartiendo a Cristo con sus compañeros de equipo, llevando a muchos de ellos al Señor.

Recuerdo aquella recamarera del hotel en Florida. Mientras salía apresuradamente de mi habitación para reunirme con uno de los hombres más prominentes de la ciudad, el Señor me dió la impresión que aquí, justo frente a mis ojos, había alguien igual de precioso ante Sus ojos.

Al hablar con ella, me contó su triste situación. Sentía que nadie en su familia la amaba ni apreciaba. "Nadie se preocupa por mí", se lamentó. "Ni a mis jefes, ni a mi familia, ni a nadie le importó".

Le expliqué como Dios le amaba, se ocupaba de ella y le ofrecía un plan maravilloso para su vida. Cuando le leí el folleto de Las Cuatro Leyes Espirituales, invitó a Cristo a su vida y con lágrimas en sus ojos se sonrió conmigo. Más tarde, ese mismo día, el ejecutivo también recibió a Cristo.

A través de los años, dondequiera que he viajado, he hecho a los cristianos dos preguntas: *¿Cuál es la cosa más importante que le ha sucedido a usted?* Invariablemente me responden: *"recibir a Cristo como mi Señor y Salvador personal"*. La segunda pregunta, Entonces, ¿qué es la cosa más importante que usted puede hacer en la vida para dejar una marca positiva en la sociedad? Invariablemente, se enciende una luz en los ojos de mis hermanos. "Contarle a los demás las buenas noticias: que Cristo murió por sus pecados y que les ofrece vida abundante y eterna".

Realmente ha sido para mí un privilegio sobreponerme a mi timidez para introducir a otros a nuestro Salvador. Desde un taxista hasta un senador, del humilde obrero hasta el influyente empresario, todos son igualmente preciosos a la vista de Dios y todos necesitan a Jesucristo.

Mi mente regresó a la ceremonia de inauguración al darme cuenta de lo que estaba pasando. Ese decano de estudiantes quien había recibido a Cristo en aquella universidad hace muchos años, había llegado a ser un senador, era ahora el maestro de ceremonias en esta mañana de enero. En ese intervalo de años, este devoto cristiano me ha honrado llamándome uno de sus "padres espirituales".

En este momento, este senador estaba presentando a uno de los pastores más influyentes del país, quien haría la invocación. Este pastor era aquel jugador de fútbol de la universidad UCLA quien había recibido al Señor conmigo en la sala de nuestra casa. Él ha sido el pastor del presidente por más de veinticinco años.

Vonette y yo éramos los invitados de otro senador y su esposa. Muchos analistas lo consideran una "estrella naciente" en el congreso. Unos años antes, mientras era miembro de la Cámara de Representantes, había recibido a Cristo con Las Cuatro Leyes Espirituales. Ahora era una voz inteligente y audaz a favor del cristianismo en medio de los legisladores de nuestra nación. Su esposa había recibido a Cristo como su Señor y Salvador mediante el testimonio personal de una de nuestras coordinadoras en Washington, D.C. y ahora estaba encargada de dirigir estudios bíblicos de mujeres para las esposas de los congresistas.

Mientras pensaba en estas personas, y muchas otras que el Señor había traído a Su reino a través de nuestro ministerio, vino a mi mente este pensamiento: *nunca sabes lo que sucederá, cuando tomas la iniciativa para compartir a Cristo.*

Algunos te rechazarán completamente.

Otros expresarán un poco de interés, pero no sentirán que están "listos".

Otros recibirán a Cristo contigo, pero no tendrás oportunidad de darles edificación inmediata.

Sin embargo, Dios ama a cada una de estas personas aún más de lo que tú las amas.

No quiere que nadie perezca.

Y cuando tú hayas sido fiel en hacer tu parte, puedes dejarle los resultados a Él.

Tal como lo hizo con la operadora del elevador, con aquellos senadores, con el influyente pastor y con la esposa del senador, Él usará tu obediencia en compartir Su persona para influir en las generaciones venideras.

Todo lo que Él espera de nosotros es la obediencia. Que compartamos abiertamente, con amor y sin reservas la más grande noticia que haya sido anunciada:

Dios te ama y te ofrece
un plan maravilloso para tu vida.

APÉNDICE A

La carta Van Dusen

Esta carta fue escrita a un prominente hombre de negocios que le solicitó al doctor Bill Bright información sobre cómo conocer a Dios personalmente. Su nombre original fue cambiado por razones de privacidad y cortesía, pero se ha conservado fielmente el contenido original. (Millares de copias de esta carta han sido distribuidas por todo el mundo en distintos idiomas, como un eficaz instrumento de evangelización. Sugerimos que usted obtenga copias adicionales de esta importante carta para ponerla en manos de hombres y mujeres de empresa, de profesionales, amigos, asociados y familiares.)

Dr. Rodolfo Van Dusen
Groton Manor
Islip, Long Island, New York

Estimado doctor Van Dusen:

Me es grato saludarle a través de estas líneas y agradecerle la gentileza que usted tuvo conmigo en nuestro reciente encuentro. Su marcado deseo de conocer más de Jesucristo, el Señor, me estimula a explicarle inmediatamente los hechos básicos concernientes a la vida cristiana.

En primer lugar, deseo invitarle a pensar en la vida cristiana como una gran aventura; ya que Jesucristo dijo: "Yo he venido para que tengan vida y para que la tengan en abundancia." (San Juan 10:10)

En segundo lugar, deseo que sepa que Dios nos ama y nos ofrece un plan maravilloso y completo para nuestra vida. No somos criaturas nacidas al azar, traídas a este mundo para llevar una vida infeliz y sin significado, sino para llevar una vida con propósito y de servicio gozoso. Cualquier estudiante sabe que en el mundo físico hay leyes definitivas que son inviolables. Así también hay leyes inquebrantables que rigen nuestra vida espiritual.

Considerando que el hombre es la forma más alta de vida que se conoce y desde el momento que hay un propósito para cada cosa, ¿no le parece razonable que haya un plan para nosotros? Si Dios nos creó con un propósito, ¿no es lógico buscar cómo y dónde ha sido revelado ese propósito? ¿Acaso permitiría Aquél que nos creó que dependiéramos de nuestros limitados recursos? Toda evidencia indica lo contrario. Entonces, ¿cómo podemos conocer el plan de Dios?

Hay once "religiones vivas" en el mundo y la mayoría de ellas tienen sus "escritos sagrados". Sin embargo, al estudiarlos en forma objetiva, encontramos que el Antiguo y Nuevo Testamento de la Biblia difieren ampliamente de los otros. Aunque hay mucho de bueno en los escritos de esas religiones, rápidamente se hace evidente que no hay manera de compararlos con la Biblia, sobre la cual está basado el cristianismo.

Durante mis tres años de estudio en dos importantes seminarios, bajo la dirección de algunos de los más grandes maestros de teología en el mundo, llegué a la conclusión de que Dios, de una manera única y especial ha hablado al hombre a través de los escritos de la Biblia.

Todas las personas están buscando la felicidad, pero la Biblia afirma que hay solamente un camino para conocer la verdadera felicidad, y éste es el camino de Dios. Permítame explicarle en forma sencilla este camino. La Biblia afirma que Dios es santo y el hombre es pecador. Hay un gran abismo entre los dos. El ser humano está tratando continuamente de encontrar a Dios. (Vea el diagrama número uno).

En el más ignorante salvaje o en el más brillante profesor universitario, vemos al hombre tratando, por su propio esfuerzo, de encontrar a Dios y la vida abundante. Por medio de filosofías y religiones, el hombre ha intentado cruzar ese abismo para encontrar a Dios y adquirir una vida con propósito definido y completa felicidad. Sin embargo, el hombre no puede atravesar este abismo, como tampoco podría escalar la cordillera de los Andes con las piernas mutiladas, atravesar la ciudad de un salto o subir a la estratósfera por una escalera. La Biblia explica que esto es imposible, porque Dios es santo y justo y el hombre es pecador. El hombre fue creado para tener comunión con Dios, pero debido a su egocentrismo y desobediencia, escogió su propio camino y su relación con Dios se interrumpió. Esto es lo que la Biblia llama pecado.

Desconecte una lámpara de su contacto con la energía eléctrica y la luz cesará. Esto es lo que le ha sucedido al hombre. La Biblia afirma: "Por cuanto todos pecaron y están destituidos de la gloria de Dios." (Romanos 3:23) "Porque la paga del pecado es muerte, mas la dádiva de Dios es vida eterna en Cristo Jesús, Señor nuestro." (Romanos 6:23)

Observará que no estoy diciendo qué pecado se define solamente como emborracharse, matar, ser inmoral, robar, etc. Estos actos son más bien el resultado del pecado. Usted pensará: ¿Cuáles son los síntomas de una vida separada de Dios? Además de los actos grotescos ya conocidos, hay otros síntomas que revelan que estamos separados de Dios, como: preocupación, irritabilidad, impaciencia, angustia, una vida aburrida e insípida, falta de propósito en la vida, decepción, frustración, deseo de escapar de la realidad, sentimiento de inferioridad y temor a la muerte. Estas cosas y muchas más, son evidencia de que el hombre está separado del Único que puede darle el poder para vivir la vida abundante.

San Agustín dijo: "Pues nos hiciste para ti, oh Dios, y nuestro corazón andará en desasosiego hasta que descanse en Ti." Más recientemente, el gran físico y filósofo Blas Pascal dijo: "En el corazón de todo hombre existe un vacío con la figura de Dios, el cual no puede ser llenado con ninguna cosa creada, sino sólo por Dios mismo, el Creador, revelado en Jesucristo."

Ahora bien, si Dios tiene un plan para nosotros, un plan que incluye una vida plena y abundante, y si todos los esfuerzos que el hombre haga para encontrar a Dios son inútiles, debemos ir a la Biblia para conocer el plan de Dios.

La Biblia dice: "De tal manera amó Dios al mundo, que ha dado a su hijo Unigénito para que todo aquel que en él cree, no se pierda, mas tenga vida eterna." (San Juan 3:16) En otras palabras, este gran abismo entre Dios y el hombre no puede cruzarse por los esfuerzos del hombre sino solamente por Dios a través de Su Hijo Jesucristo. Permítame llamar su atención al hecho de que no podemos conocer a Dios a través de las buenas obras. "Porque por gracia sois salvos, por medio de la fe; y esto no de vosotros pues es don de Dios; no por obras, para que nadie se gloríe." (Efesios 2:8,9) Las buenas obras serán la manifestación posterior a nuestra aceptación del don de Dios, y surgirán como expresión de nuestra gratitud.

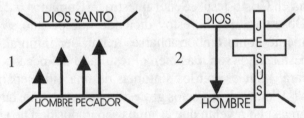

La religión y la filosofía han sido definidas como el mejor intento del hombre para encontrar a Dios; en tanto que el cristianismo ha sido definido como el mejor recurso de Dios para alcanzar al hombre.

Ahora bien, ¿quién es Jesucristo? ¿Quién es esta persona que más que ninguna otra que haya existido, tiene el poder

para cruzar este abismo entre Dios Santo y el hombre pecador? (Ver diagrama 2)

Sin duda Usted recordará que Jesús fue concebido por el
Espíritu Santo y nació de la Virgen María hace más de 2000
años. Durante cientos de años los grandes profetas de Israel
predijeron Su venida. En el Antiguo Testamento, que fue
escrito en un período de 1500 años, por distintas personas, se
encuentran más de trescientas referencias a Su venida. A la
edad de 30 años Jesucristo comenzó su ministerio público.
Omitiendo detalles por razón de espacio, basta decir que
Jesús, en los tres años siguientes, dio al hombre la fórmula
para vivir una vida abundante y para la vida eterna.

La vida de Jesús, Sus milagros, la doctrina que enseñó, Su
muerte en la cruz, Su resurrección, Su ascensión a los cielos,
todo indica que Él no fue un hombre común y corriente, sino
más que un simple hombre. El mismo proclamó: "Yo y el
Padre uno somos." (San Juan 10:30) y "Él que me ha visto a
Mí, ha visto al Padre." (San Juan 14:9)

Arnoldo Toynbee, eminente historiador de nuestro tiempo, ha escrito más acerca de Jesús de Nazaret que de las vidas
de seis de los más grandes hombres que han existido, incluyendo a Mahoma, Buda, César y Napoleón.

La Enciclopedia Británica, considerada una de las más
eruditas, dedica 20.000 palabras a Jesucristo. Los pensadores
de diferentes países y religiones, que tengan la oportunidad
de investigar las evidencias, estarán de acuerdo en que Jesucristo es la más grande personalidad que el mundo ha conocido. Concordarán en el hecho de que Él es el más grande
maestro, el más grande líder y quien ha producido la mayor
influencia benéfica que el mundo haya conocido. Considere
las declaraciones hechas por estos distinguidos escritores:

● "Jesucristo es el personaje más destacado de todos los
tiempos. Ningún otro maestro, ya sea judío, cristiano, budista
o mahometano sigue siendo un maestro cuyas enseñanzas
continúen siendo una luminaria en el mundo de hoy. Otros

maestros pueden haber ofrecido algo básico para los orientales, para los árabes y para los occidentales. Sin embargo, cada acción y palabra de Jesucristo sigue siendo de gran valor para todos nosotros. Él se convirtió en la Luz del Mundo. ¿Porqué no habrían de sentirse orgullosos los judíos de esto?"

Sholem Asch

● "Si algún hombre fue Dios, o si Dios se hizo hombre, Jesucristo fue ambos."

Lord Byron

● "Ninguna revolución ocurrida en la sociedad puede ser comparada con aquélla producida por las palabras de Jesucristo."

Mark Hopkins

●"La más grande revolución de todos los tiempos fue Jesucristo mismo; no Sus ideas, no Sus enseñanzas, no Sus principios morales, sino Él mismo. No hay nada que pueda ser más grande, más revolucionario ni más asombroso que el evangelio del Dios crucificado, resucitado y glorificado que viene otra vez a juzgar a los vivos y a los muertos."

Charles Malik

●"He leído en las obras de Platón y Cicerón dichos llenos de belleza y sabiduría; pero nunca encontré que dijeran: 'venid a mí todos los que estáis trabajados y cargados, y yo os haré descansar.'"

San Agustín

●"Si Shakespeare o Cervantes entraran en este cuarto, nos pondríamos de pie; pero si Jesucristo entrara, nos pondríamos de rodillas."

Charles Lamb

Es importante considerar que Jesús dijo ser Dios. Aseguró ser el autor de una nueva forma de vida. Históricamente sabemos que doquier el mensaje de Cristo ha llegado, ha tenido como resultado nueva vida, nueva esperanza y propósito para vivir. O Jesús de Nazaret fue quien aseguró ser, el Hijo de Dios y Salvador de la humanidad, o fue el más grande impostor que el mundo ha conocido. Si sus aseveraciones fueron falsas, resulta que una mentira ha producido más bien que la verdad misma. ¿No tienen acaso sentido que esta persona (a quien la mayoría de la gente que conoce y sabe de Sus hechos considera el más grande maestro, el más grande ejemplo y el más grande líder de quien el mundo tenga noticia), sea, como Él mismo dijo ser y la Biblia también nos dice, la única persona que podía cruzar el abismo existente entre Dios y el hombre?

Usted recordará el texto bíblico (Romanos 6:23) al que me referí anteriormente: "Por que la paga del pecado es muerte, mas la dádiva de Dios es vida eterna en Cristo Jesús Señor nuestro." Si estudia las religiones y filosofías del mundo, no encontrará provisión para el pecador, aparte de la cruz del Señor. La Biblia dice que sin derramamiento de sangre no hay remisión o perdón de pecados. (Hebreos 9:22) en Hechos de los Apóstoles 4:12, se nos dice: "En ningún otro hay salvación; porque no hay otro nombre bajo el cielo dado a los hombres, en quien podamos ser salvos."

Jesús dijo: "Yo soy el camino y la verdad y la vida; nadie viene al Padre, sino por mí." (San Juan 14:6) Permítame citar lo que Jesús le dijo a un hombre que fue a pedirle consejo. Ellos hablaron así como nosotros hemos hablado. Busque en la Biblia el tercer capítulo del Evangelio de San Juan y lea los ocho primeros versículos. Advierta primero quién era Nicodemo.

Nicodemo era un Fariseo, un destacado dirigente religioso de su día. Encontramos que en lo que se refiere a la ley de los judíos era irreprochable. Su ética y su moral eran intachables. Estaba tan ansioso de agradar a Dios que oraba siete veces al día. También iba a la Sinagoga (templo judío) tres veces diariamente. Sin embargo, él vio en la vida de Jesús algo que nunca había visto; advirtió en Él una vida totalmente distinta. Notará que Nicodemo vino a Jesús diciendo: "Rabí, sabemos que has venido de Dios como maestro; porque nadie puede hacer estas señales que tú haces, si no está Dios con él. Respondió Jesús y le dijo: De cierto, de cierto te digo, que el que no naciere de nuevo, no puede ver el reino de Dios. Nicodemo le dijo: ¿Cómo puede un hombre nacer siendo viejo? ¿Puede acaso entrar por segunda vez en el vientre de su madre, y nacer? Respondió Jesús: De cierto, de cierto te digo, que el que no naciere de agua y del Espíritu, no puede entrar en el reino de Dios. Lo que es nacido de la carne, carne es; y lo que es nacido del Espíritu, espíritu es." (San Juan 3:2-6)

Piense, por ejemplo, en un gusano que se arrastra por el polvo. Es un insecto feo y desagradable. Cierto día esta oruga teje alrededor de su cuerpo un capullo y de este capullo surge una preciosa mariposa. No entendemos totalmente lo que ha sucedido, pero nos damos cuenta que lo que antes era un gusano que se arrastraba en la tierra, ahora es una mariposa que revolotea por el aire.

Así también sucede en la vida del cristiano. Mientras en otro tiempo vivíamos en el nivel más bajo como pecadores irredentos, ahora vivimos en el plano más alto experimentando una vida plena y abundante como hijos de Dios. Una persona llega a ser cristiana por medio del nacimiento espiritual. En otras palabras, Dios es espíritu y no podemos comunicarnos con Él, hasta no ser criaturas espirituales. Esto es lo que sucede cuando Jesucristo viene a vivir en nuestras vidas. Sin que Jesucristo resida en nuestras vidas no podemos comunicarnos con Dios. No podemos saber nada acerca de Su plan para nosotros. Sin embargo, cuando Jesucristo viene a vivir en nuestras vidas, nos gusta estar entre cristianos, leer y meditar la Palabra de Dios y deseamos servir a Cristo.

Supóngase, por vía de ilustración, que estamos sentados en una sala sabiendo que hay un gran número de programas de televisión a nuestro alcance. Nos esforzamos en mirar y escuchar, pero no vemos las imágenes ni oímos las voces. ¿Qué es lo que se necesita? Un aparato de televisión. En el momento en que obtenemos un televisor en esa misma sala y lo conectamos, sintonizando el canal deseado, escuchamos una voz y vemos una imagen. Así también sucede cuando Cristo entra en nuestras vidas. Él es nuestro instrumento divino, conectándonos con Dios, dándonos a conocer la voluntad y el amor de Dios para nosotros.

Básicamente lo único que separa a una persona de Dios y por ende, de Su amor y perdón, es su propia voluntad egoísta. (Por favor no me crea un entrometido. No es mi propósito molestarlo al sugerir que tome una decisión. Debido a que usted expresó tan genuino interés en saber más cuando hablamos personalmente, estoy tomándome la libertad de estimularlo a que entre en este tipo de relación con Jesucristo hoy mismo).

Bien recuerdo aquella noche, años atrás, cuando a solas en mi habitación me arrodillé para rendir mi voluntad a la voluntad de Cristo. Durante la oración, yo lo invité a entrar por la "puerta" de mi vida, a perdonar mis pecados, y tomar el lugar que le corresponde en el trono de mi vida. Debo confesar que no hubo un resultado emocional como algunos experimentan. Sin embargo Cristo, fiel a Su promesa, entró y gradualmente, como el florecer de una rosa, me di cuenta de la realidad de Su presencia en mi vida. A pesar de que yo estaba satisfecho con mi vida, Él me dió una totalmente nueva, abundante y plena en todos sentidos.

Dios le ama tanto que dió a su Hijo Unigénito para que muriese en la cruz por sus pecados; y Jesucristo, el Hijo de Dios, le amó tanto que murió en la cruz por usted. ¡Helo aquí! el más grande líder, el más grande maestro, el más grande ejemplo que el mundo ha conocido. Más que esto, Él es el Hijo de Dios, su Salvador. Puede pensar en alguien más a quien usted preferiría seguir?

Posiblemente usted se pregunte: "¿Y si yo invito a Cristo a entrar en mi vida y no sucede nada? Tal vez el Señor no me escuche." Permítame asegurarle que usted puede confiar en

Cristo. Él prometió entrar, Él no miente. Un químico que entra a un laboratorio a trabajar en un experimento, sabe que al seguir la tabla de equivalencias químicas obtendrá los resultados deseados. El matemático sabe que la tabla de multiplicar ha sido comprobada y que puede depender de ella; la ley de la gravedad es inviolable; así mismo las leyes del reino espiritual son definitivas y verdaderas, puesto que el Dios que creó todas las cosas y estableció las leyes que las rigen, dijo que entrará y cambiará su vida, usted puede sin duda alguna, aceptar esta promesa.

Sin embargo, permítame una advertencia: no haga un énfasis indebido en los sentimientos. Debe existir un equilibrio entre los hechos (intelecto), la fe (confianza que nos mueve a la acción) y los sentimientos (emociones). Medite en los siguientes versículos bíblicos: Jesucristo dijo: "He aquí yo estoy a la puerta, y llamo; si alguno oye mi voz y abre la puerta, entraré a él y cenaré con él, y él conmigo" (Apocalipsis 3:20) y "Yo he venido para que tengan vida, y para que la tengan en abundancia" (San Juan 10:10). Él ha venido para perdonar sus pecados, para traer paz y propósito a su vida. Nuestras vidas están llenas de diversas actividades, tales como profesión, viajes, finanzas, vida social y vida de hogar, sin un significado o propósito real. Jesucristo llama a la puerta de su corazón procurando entrar y no va a forzar su entrada. Jesucristo quiere entrar en su vida para poner armonía donde hay discordia, significado y propósito donde no los hay. Desea perdonar sus pecados, y unirlo a Dios. No desea entrar a su vida como un simple huésped, sino que desea dirigir su vida como Señor.

Y- el Yo en el trono.[1]

Hay un trono en cada vida. A través de estos años su "Yo" ha estado en el trono. Ahora Cristo espera que usted lo invite a entrar y ocupar el trono. Debe usted bajarse del trono y ceder el gobierno de su vida a Cristo.

Usted puede ver mediante este sencillo diagrama que cuando Cristo llega a ser el Señor de su vida, también lo llega a ser de cada una de sus actividades. Como usted ve, esto la transforma en una vida armoniosa. ¿No es acaso mejor estar controlado por el Dios amoroso e infinito que nos creó y sufrió por nosotros, que seguir controlado por el "Yo" finito?

Jesucristo en el trono[2]

El gran cambio que origina Cristo puede apreciarse en la vida matrimonial. De acuerdo con las estadísticas de un famoso sociólogo y catedrático de una prominente universidad del continente, dos de cada cinco matrimonios efectuados en uno de los países más avanzados, terminaron en divorcio. Sin embargo, entre los matrimonios cristianos en los que la familia celebra reuniones de meditación bíblica y oración diaria, el número de divorcios es mucho menor. ¿A qué se debe la diferencia? Es muy sencillo. El "Yo" del marido reacciona contra el "Yo" de la esposa o viceversa; resultado: fricción y discordia. Sin embargo, cuando Cristo está en el trono de cada vida, no puede haber discordia, solamente hay armonía, ya que Él no puede estar en guerra contra sí mismo.

En el Evangelio de San Juan 1:12 se nos dice: "Mas a todos los que le recibieron, a los que creen en su nombre, les dio potestad de ser hechos hijos de Dios", y en 1 de Juan 5:11-12

---

1 Intereses personales y diversas actividades bajo el control del yo finito, lo cual trae como resultado desorden y frustración.

2 Intereses personales y diversas actividades bajo el control de Cristo, Dios infinito, lo que trae como resultado armonía y propósito.

"Y este es el testimonio: que Dios nos ha dado vida eterna y esta vida está en su Hijo. El que tiene al Hijo, tiene la vida, y el que no tiene al Hijo de Dios no tiene la vida". Hablando de vida, son pocos los que le dan importancia al hecho de que algún día tendremos que morir. La Biblia nos recuerda "Y de la manera que está establecido para los hombres que mueran una sola vez, y después de esto el juicio" (Hebreos 9:27).

Cristo prepara a los hombres para la muerte así como también para la vida. El hombre no está preparado para vivir hasta que esté preparado para morir.

"De modo que si alguno está en Cristo, nueva criatura es; las cosas viejas pasaron, he aquí todas son hechas nuevas" (2 Corintios 5:17).

¿Invitará usted al Señor Jesucristo a entrar en su corazón, rindiéndose a Su voluntad ahora mismo? Nosotros podemos hablar con Dios mediante la oración; ¿Por qué no busca un lugar tranquilo, donde usted pueda arrodillarse o inclinar su cabeza reverentemente ante Dios para pedir que Cristo entre a su corazón? En su oración puede decir algo así:

"Señor Jesús, te invito a entrar en mi vida, perdona mis pecados y sé mi Señor y Salvador." Ore en sus propias palabras. Dios le conoce y no se fija sólo en sus palabras, sino en la actitud de su corazón.

El invitar a Cristo a entrar en su vida es con toda seguridad la decisión más importante que usted hará. Cuando le invite sucederán varias cosas maravillosas:

1.- Cristo vendrá a vivir en su corazón.

2.- Sus pecados serán perdonados.

3.- Usted se transformará en un verdadero hijo de Dios.

4.- Tendrá seguridad de salvación.

5.- Conocerá el plan y propósito de Dios para su vida.

¿Invitó a Cristo a entrar en su corazón? ¿Fue usted sincero? ¿Dónde está Cristo ahora? Si usted se llega a sentir desilusionado por no sentir emoción alguna, a pesar de que algunos sienten felicidad inmediata, quiero recordarle una vez más que el cristiano debe poner su fe en la Palabra de Dios y no en los sentimientos. Esto es debido a que las emociones vienen y van, pero la Palabra de Dios es verdadera y digna de confianza. Cristo prometió entrar a su vida cuando usted abriera la puerta. Él no miente. Medite nuevamente en las verdades establecidas en Apocalipsis 3:20; San Juan 1:12; I de Juan 5:11-13; 2 Corintios 5:17. Agradézcale inmediatamente a Dios que Cristo entró en su corazón.

Como usted nunca ha estado satisfecho con la mediocridad en sus actividades, sin duda que no querrá ser un cristiano común. Nada nos cuesta recibir a Cristo y convertirnos en cristianos, porque a Dios le costó Su Hijo; pero ser la clase de cristiano que Dios quiere que seamos nos costará tiempo y esfuerzo. Por razones lógicas un cristiano debería ser un mejor profesional, un mejor esposo, un mejor estudiante, etc.

He aquí algunas sugerencias que le capacitarán para crecer rápidamente en la vida cristiana: DIARIAMENTE vaya a Dios en oración, lea la Biblia, obedezca a Dios y permita que su vida y sus labios sean un testimonio de Cristo.

En Hebreos 10:25 se nos amonesta: "No dejando de reunirnos..." Varios leños producen buen fuego; aísle uno y se apagará; así también sucede con la iglesia local. Asista a una iglesia donde se honre a Cristo y se predique Su Palabra. Propóngase asistir el siguiente domingo y todos los demás.

Esté seguro de mi afecto y de mis oraciones. Rogándole me haga saber su decisión, me despido de usted sinceramente.

DR. Bill Bright

BB:gor

P.D. Los "Diez Grados Básicos del Desarrollo Cristiano", son un estudio bíblico especialmente diseñado para estimular el interés y provocar un rápido crecimiento entre los cristianos. Permítame invitarle a principiar este estudio bíblico inmediatamente. Envíeme una nota y le haré llegar el material de estudio a la mayor brevedad posible.

Apéndice B

Cómo ser lleno del Espíritu Santo

Condensado del Concepto Transferible
por el Dr. Bill Bright

La mayoría de los cristianos viven en una pobreza espiritual impuesta por sí mismos porque no saben como apropiarse de los recursos espirituales que ya son suyos.

En el Oeste de Texas hay un famoso campo de petróleo conocido como el Yacimiento Yates. Durante la depresión, este campo estaba en un rancho ovejero propiedad de un hombre llamado Yates. Al trabajar en el rancho, el Sr. Yates no ganaba suficiente dinero para pagar el capital y los intereses de la hipoteca, por lo que estuvo en peligro de perder su propiedad. Con el dinero escaso para vestirse o alimentarse, su familia, al igual que muchos otros, tuvo que vivir de la beneficencia pública.

Día tras día, cuando el Sr. Yates hacía pastar a sus ovejas sobre esas colinas sinuosas del Oeste de Texas, seguramente se la pasaba muy preocupado acerca de cómo iba a pagar sus deudas. Un buen día, un equipo de sismólogos de una compañía petrolera fue a la región y le dijo al Sr. Yates que había la posibilidad de que hubiera petróleo en sus tierras. Le pidieron permiso para perforar un pozo, y firmó un contrato de arrendamiento con ellos.

A 1,115 pies (370 mts.) se encontró una vasta reserva de petróleo. El primer pozo daba un rendimiento de 80,000 barriles

192 \ Testificando sin temor

diarios. Muchas perforaciones subsecuentes dieron más del doble. En efecto, treinta años después del descubrimiento, el gobierno examinó uno de los pozos mostrando que todavía tenía el potencial de aproximadamente 125,000 barriles de petróleo al día.

¡El Sr. Yates era propietario de todo esto! El mismo día que compró la tierra, recibió también el petróleo y los derechos sobre el mineral. Sin embargo, estaba viviendo de la caridad. ¡Un multimillonario viviendo en la pobreza! ¿Cuál era el problema? Él no sabía que el petróleo estuviera allí. Lo tenía, pero no lo poseía.

No conozco una ilustración mejor acerca de la vida cristiana que ésta. En el momento en que llegamos a ser hijos de Dios por medio de la fe en Cristo, nos convertimos en herederos de Dios. Todos los recursos divinos están disponibles para nosotros. Todo lo que necesitamos, incluyendo, sabiduría, amor, poder para ser hombres y mujeres de Dios y para ser testigos fructíferos de Cristo, está a nuestra disposición. A pesar de esto, la mayoría de los cristianos continúan viviendo en una pobreza espiritual impuesta por ellos mismos porque no saben cómo apropiarse de aquellos recursos espirituales de Dios que ya les pertenecen.

Es inútil tratar de vivir por nuestras propias fuerzas, el tipo de vida que Dios nos ha ordenado vivir. Nuestra fuerza debe venir del Señor! El Espíritu Santo vino a capacitarnos a nosotros para conocer a Cristo. Cuando recibimos a Cristo en nuestras vidas, experimentamos un nuevo nacimiento, y somos habitados por el Espíritu Santo. Él nos capacita para vivir y enseñar la vida abundante que Jesús ha prometido a todos los que en Él confían.

FALTA DE FE

Muchos cristianos no son llenos, ni controlados, ni dinamizados por el Espíritu Santo por falta de conocimiento. La incredulidad hace que otros no experimenten la vida abundante. Existen aún otros cristianos que tal vez han sido ya expuestos a la verdad sobre la persona y ministerio del Espíritu Santo, pero que, por diferentes razones, nunca han podido comprender el amor de Dios. Le tienen miedo. Simplemente no confían en Él.

Suponga que cuando mis dos hijos estaban pequeños, un día me hubieran saludado con estas palabras: "papi, te amamos y hemos decidido que de ahora en adelante haremos todo lo que nos pidas". ¿Cuál cree usted que hubiera sido mi actitud?

Si yo hubiera respondido a la expresión de confianza de mis hijos como muchos creen que Dios les responderá cuando rindan sus vidas a Él, yo hubiera tomado a mis hijos por los hombros, los hubiera sacudido y con una mirada muy severa les hubiera dicho: "¡He estado esperando este momento! Ahora, mientras vivan, voy a hacer que se arrepientan de haber tomado esta decisión. Voy a quitarles todo lo que les gusta, regalaré todos sus juguetes y les haré hacer todo lo que no les gusta hacer".

Muchas personas creen que esta es la manera en que Dios responderá cuando le digan, "Señor, te entrego el control de mi vida". No comprenden lo mucho que Dios les ama. ¿Sabe usted lo que yo haría si mis hijos me saludaran de esa manera? Yo pondría mis brazos en sus hombros y les diría, "yo también les amo y aprecio profundamente esta expresión de su amor por mí. Es el mayor regalo que hayan podido darme y quiero hacer todo lo que esté a mi alcance para ser merecedor de su amor y confianza".

¿Se preocupa Dios menos por sus hijos? Les ama menos? No, El ha mostrado muchísimas veces que es un Dios amoroso, un Padre celestial que se preocupa profundamente por sus hijos. El es digno de nuestra confianza.

LLENOS POR FE

¿Cómo puede alguien ser lleno del Espíritu Santo? Somos llenos del Espíritu Santo por fe. Recibimos a cristo por fe. Caminamos por fe. Todo lo que recibimos de Dios, desde el momento de nuestro nacimiento espiritual hasta que morimos, es por fe.

Usted no tiene que rogarle a Dios que le llene con su Santo Espíritu. Usted no tiene que buscar el favor de Dios, ayunando, orando o implorando. Durante mucho tiempo yo ayuné, oré y clamé a Dios pidiendo Su llenura. Luego un día descubrí en la Biblia que "el justo por la fe vivirá". *No podemos ganar la plenitud de Dios. La recibimos por fe.*

Suponga que quiere hacer efectivo un cheque de cien dólares. ¿Iría usted al banco donde tiene depositados varios miles de dólares, y poniendo el cheque en el mostrador, se pondría de rodillas y diría "por favor, señor cajero, cámbieme mi cheque"? De ninguna manera. Esa no es la forma de cambiar un cheque. Sencillamente, usted va en fe, coloca el cheque en el mostrador y espera el dinero que es suyo. Luego le da las gracias al cajero y sigue su camino.

Millones de cristianos están suplicándole a Dios, como yo mismo lo hice, por algo que ya está disponible y que está esperando ser apropiado por fe. Están buscando alguna clase de experiencia emocional, y no se dan cuenta que tal actitud de su parte es un insulto a Dios, una negación de la fe, a través de la cual agradamos a Dios. En Hebreos 11:6 se nos dice, "Sin fe es imposible agradar a Dios..."

PREPARANDO EL CORAZÓN

Aunque usted es lleno del Espíritu Santo por fe y sólo por fe, es importante reconocer que ciertos factores contribuyen a preparar su corazón para la plenitud del Espíritu Santo.

En primer lugar, usted debe tener hambre y sed por Dios, con un deseo de ser controlado y energizado por su Santo Espíritu. Tenemos la promesa de nuestro Salvador, "bienaventurados los que tienen hambre y sed de justicia, porque ellos serán saciados".[2]

En segundo lugar, estar dispuesto a rendir su vida a Cristo de acuerdo a la exhortación de Pablo en Romanos 12:1,2 "Por esto, amados hermanos, les ruego que se entreguen de cuerpo entero a Dios, como sacrificio vivo y santo; este es el único sacrificio que Él puede aceptar. Teniendo en cuenta lo que Él ha hecho por nosotros, ¿será demasiado pedir? No imiten la conducta ni las costumbres de este mundo; sean personas nuevas, diferentes, de novedosa frescura en cuanto a conducta y pensamiento. Así aprenderán por experiencia la satisfacción que se disfruta al seguir al Señor" (Biblia al Día).

En tercer lugar, confiese todo pecado conocido que el Espíritu Santo traiga a su memoria y experimente la limpieza y perdón que Dios promete en 1 Juan 1:9: "Pero si confesamos a Dios nuestros pecados, podemos estar seguros de que ha de perdonarnos y limpiarnos de toda maldad, pues para eso murió Cristo." (Biblia al Día)

ORDEN Y PROMESA

Hay dos palabras muy importantes que debemos recordar. La primera es un *mandato*. En Efesios 5:18 Dios nos ordena ser llenos: "No os embriaguéis con vino, en lo cual hay disolución; antes bien sed llenos del Espíritu". El no ser controlados y dinamizados por el Espíritu Santo es desobediencia. La otra palabra es *promesa,* una promesa que hace que la orden sea posible: *"Y esta es la confianza que tenemos en él, que si pedimos alguna cosa conforme a su voluntad, él nos oye. Y si sabemos que él nos oye en cualquiera cosa que le pidamos, sabemos que tenemos las peticiones que le hayamos hecho".*[3]

Ahora bien, ¿es la voluntad de Dios para usted que sea lleno, controlado y dinamizado por el Espíritu Santo? Por supuesto que sí, ¡porque es su mandato! Ahora mismo, entonces, usted puede pedirle a Dios Espíritu Santo que le llene, no porque usted lo merezca, sino basándose en su mandato y promesa.

Si usted es cristiano, el Espíritu Santo ya mora en usted. Por lo tanto, no necesita invitarlo a que entre en su vida. En el momento en que usted recibió a Cristo, el Espíritu Santo no solamente vino a morar en usted, sino que le impartió su

196 \ Testificando sin temor

misma vida espiritual, haciéndole nacer como un hijo de Dios. El Espíritu Santo también le ha bautizado en el Cuerpo de Cristo. En 1 Corintios 12:13, Pablo explica, "Porque en un solo Espíritu fuimos todos bautizados en un cuerpo".

Es en una sola ocasión que el Espíritu Santo entra a morar en la persona, produce el nuevo nacimiento, y el bautismo del Espíritu Santo, todo lo cual ocurre cuando usted recibe a Cristo. El Espíritu Santo puede llenarle en muchas ocasiones, como se aclara en Efesios 5:18. En el idioma griego, en el cual se escribió originalmente el Nuevo Testamento, el significado es aun más claro que en la mayoría de las traducciones al español. Este mandato de Dios significa *ser controlado y capacitado por el Espíritu Santo como una manera de vivir.*

Si queremos ser técnicos, usted no necesita orar para pedir ser lleno del Espíritu Santo, puesto que en ningún lugar de la Biblia se nos pide que oremos para ser llenos del Espíritu Santo. *Somos llenos por fe.* Sin embargo, puesto que el objeto de nuestra fe es Dios y Su Palabra, le sugiero que usted ore para ser lleno del Espíritu Santo como una expresión de su fe en la orden de Dios y en su promesa. Usted no es lleno por orar, sino porque por fe ha confiado que Dios le llenará con Su Espíritu en respuesta a su fe.

¿Ha llenado las condiciones de Dios? ¿Tiene hambre y sed de justicia? ¿Ha confesado todo pecado conocido en su vida? ¿Desea sinceramente ser controlado y dinamizado por el Espíritu Santo, para convertir a Jesucristo en el Señor de su vida? Si es así, le invito a inclinar su cabeza y hacer una oración de fe, ahora mismo. Reclame la llenura del Espíritu Santo por fe:

"Padre amado, te necesito. Tengo hambre y sed de una relación más vital contigo. Yo admito que he estado controlando mi propia vida. Como resultado, he pecado contra Ti.

Gracias por perdonar mis pecados por medio de la muerte de Cristo en la cruz por mi. Hoy confieso y me arrepiento de mis pecados y rindo el control de mi vida al Señor Jesús. Por fe te invito a llenarme con tu Espíritu Santo tal como me lo mandaste que hiciera. Tú prometiste llenarme si lo hacía de acuerdo a Tú voluntad. Pido esto en la autoridad del nombre de Jesucristo .

Para demostrar mi fe, en este momento te agradezco por llenarme con Tú Espíritu Santo y por tomar el control de mi vida. Amén."

Si esta oración expresa el deseo de su corazón, y usted ha cumplido todas las condiciones de Dios de preparar su corazón, puede estar seguro que Dios le ha contestado. Usted ahora está lleno del Espíritu Santo, ya sea que se "sienta" lleno o no. No dependa de las emociones, debemos vivir por fe, no por sentimientos.

Usted puede comenzar en este mismo instante a utilizar los vastos e inextinguibles recursos del Espíritu Santo para vivir una vida santa y para poder compartir las aseveraciones del Señor Jesús y Su amor y perdón con las personas en todo lugar. Recuerde que ser lleno del Espíritu Santo es una manera de vivir. Se nos ordena estar permanentemente llenos del Espíritu Santo. Agradézcale a Dios por la plenitud del su Santo Espíritu al comienzo de cada día y continué invitándole a controlar su vida momento a momento. Esta es su herencia como hijo de Dios.

1. Gálatas 3:11; 2. San Mateo 5:6; 3. 1 Juan 4:14,15

Apéndice C

Cómo Caminar en el Espíritu

Condensado del Concepto Transferible
Por Dr. Bill Bright

Cuando usted ha entregado a Cristo el control del "trono" de su vida, ¿cómo evitamos que el EGO o YO se suba de nuevo al trono y sabotee el amor y la guía de Dios?

"Desde que aprendí a caminar en la plenitud y poder del Espíritu Santo, la vida cristiana se ha convertido en una gran aventura para mí", dijo un médico después de completar su tercer Instituto de Evangelismo. "Ahora quiero que todos los demás experimenten la misma aventura emocionante con Cristo".

¿Le gustaría saber cómo experimentar una vida plena, abundante y con propósito? ¡Lo puede hacer! Si usted ha estado viviendo en derrota espiritual, preguntándose si la vida cristiana vale la pena, tengo buenas noticias. ¡Hay esperanza para usted!

La vida cristiana, debidamente comprendida, no es compleja ni difícil. En realidad, la vida cristiana es tan sencilla que a veces nos tropezamos en esa sencillez; al mismo tiempo, es tan difícil que nadie ha podido vivirla. Esta paradoja ocurre porque la vida cristiana es una vida sobrenatural. La única persona que la puede vivir es nuestro Señor Jesucristo. Únicamente cuando de manera consistente permanezcamos en Él y caminemos en el poder de su Espíritu Santo, podremos experimentar la vida abundante con todo lo que Cristo ha diseñado que sea la vida cristiana.

Hay un concepto sencillo pero profundo que yo llamo "la respiración espiritual", el cual al practicarlo nos capacita a caminar en el Espíritu Santo consistentemente. Este concepto se basa en cuatro factores que al ser bien comprendidos y aplicados, nos ayudan mucho a vivir esta gran aventura de la fe.

ESTE SEGURO DE ESTAR LLENO (CONTROLADO) POR EL ESPIRITU SANTO

Para poder caminar en el Espíritu, en primer lugar debemos estar seguros que estamos llenos del Espíritu Santo. En Efesios 5:18 se nos exhorta, "no os embriaguéis con vino, en lo cual hay disolución; antes bien sed llenos del Espíritu". Ser lleno del Espíritu Santo significa ser controlado y dinamizado por el Espíritu Santo, momento a momento, como estilo de vida. No podemos tener dos Señores[1]. Existe un "trono", un centro de control en cada vida, y ya sea el "yo" finito (ego) o Cristo, quienes están en ese trono.

Necesitamos recordar dos palabras importantes: el *mandato* de Dios, "sed llenos", *continua y constantemente controlados y dinamizados* por el Espíritu Santo; y la *promesa* de Dios, que si pedimos cualquier cosa de acuerdo a la voluntad de Dios, El nos escucha y nos responde.[2]

En base a la autoridad del mandato de Dios sabemos que estamos orando de acuerdo a Su voluntad cuando pedimos ser llenos por fe. Por lo tanto, podemos esperar que Él nos llene y dinamice basados en Su mandato y promesa, toda vez que genuinamente deseemos rendir el control de nuestras vidas a Cristo y confiar en Él para que nos llene. Técnicamente somos llenos mediante un acto de fe, no por pedir ser llenos; de la misma manera que llegamos a ser cristianos por fe, de acuerdo con Efesios 2:8,9 (y no porque le pedimos a Cristo que viniera a nuestras vidas).

El perdón y limpieza de nuestros pecados son los resultados de la confesión. 1 Juan 1:9 nos recuerda, "si confesamos nuestros pecados, él es fiel y justo para perdonar nuestros pecados, y limpiarnos de toda maldad". Confesar significa *ponerse de acuerdo* con Dios respecto a nuestros pecados de tres maneras:

1. Todo lo que es contrario a la Palabra de Dios y Su voluntad, es pecado;

2. Cristo murió y derramó su sangre por nuestros pecados.

3. Arrepentirse significa "cambio de actitud hacia mi pecado", lo cual resulta en un cambio de acciones hacia ese pecado de manera que se agrade a Dios. Continúe respirando espiritualmente como un estilo de vida, "exhalando" (confesando y reconociendo el amor y perdón de Dios) cada vez que el Espíritu Santo le revele un pecado que debe confesar, e "inhalando" (apropiando por fe, la plenitud y el control del Espíritu Santo) mientras continúa caminando por el Espíritu Santo.

¿QUÉ DE LAS EMOCIONES?

Evite el ser demasiado introspectivo. No se analice, tratando de encontrar pecados para confesar. Confiese únicamente lo que el Espíritu Santo le indique que debe confesar. No busque una experiencia emocional. Si usted tiene hambre y sed genuinas por Dios y Su justicia, y si ha confesado su pecado, rendido el control de su vida a Cristo y ha pedido ser lleno del Espíritu Santo por fe, usted puede *estar seguro* que ha sido lleno del Espíritu Santo. Cristo está ahora en el trono de su vida. Dios probará que Él es fiel a Su promesa.

No dependa de los sentimientos. El cristiano debe vivir por fe, confiando en la fidelidad de Dios mismo y Su Palabra. Esto puede ser ilustrado por el diagrama de un tren. Llamemos a la locomotora *hechos*, el hecho de las promesas de Dios encontradas en Su Palabra. Al vagón del combustible, le llamaremos *fe*, nuestra confianza en Dios y en Su Palabra. El último vagón lo llamaremos *sentimientos*.

Sería inútil tratar que el último vagón haga correr al tren. Así mismo, nosotros como cristianos, no podemos depender de los sentimientos o emociones. Para vivir una vida llena del Espíritu Santo, sencillamente colocamos nuestra fe en el hecho de que Dios y Su Palabra son dignos de confianza. Eventualmente los sentimientos vendrán en la vida de fe,[3] pero nunca debemos depender de los sentimientos, ni buscarlos. El sólo hecho de buscar una experiencia emocional es negar el principio de la fe, y lo que no es de fe, es pecado[4].

Usted puede saber ahora mismo que está bajo el cuidado amoroso del Espíritu Santo al confiar en Dios, Su *mandato* y Su *promesa*, y puede disfrutar de la vida con esa gozosa seguridad.

CONFLICTO ESPIRITUAL

En segundo lugar, *debemos estar preparados para el conflicto espiritual* si esperamos caminar bajo el control del Espíritu Santo. Se nos dice en 1 Pedro 5:7,8 que echemos en el Señor todas nuestras angustias y preocupaciones, porque Él siempre está pensando en nosotros y al tanto de todo lo que nos concierne. Debemos ser cuidadosos, atentos a los ataques de Satanás, nuestro gran enemigo, quien nos asecha como hambriento y rugiente león buscando una víctima a quien devorar. Satanás es un enemigo real y debemos estar alertas a sus maneras astutas y engañosas para engañarnos y destruirnos. Podemos estar confiados sabiendo que "mayor es el que está en vosotros, que el que está en el mundo"[5]. Una vez utilicé esta ilustración para explicarle a un amigo por qué no debía temerle a Satanás. "¿Qué hacen con los leones en su ciudad?", le pregunté. Me respondió, "los ponemos en una jaula en el zoológico". Yo le dije, "si vas a visitar la jaula en el zoológico y observas al león pasearse impacientemente, no hará daño si tienes cuidado. Sin embargo, si te metes en la jaula, el león te hará pedazos. No tienes nada que temer mientras te mantengas afuera de la jaula".

Satanás está en una "jaula". Hace dos mil años, Satanás fue derrotado cuando nuestro Señor Jesucristo murió en la cruz por nuestros pecados. La victoria es ahora nuestra. No esperamos la victoria en el futuro, sino que caminamos en victoria, la victoria de la cruz. No tiene nada que temer de Satanás en tanto usted dependa de Cristo y no de su propia fuerza. Recuerde, Satanás no tiene poder alguno sobre usted, excepto el que Dios en Su sabiduría y gracia le permite tener.[6]

CONOZCA SUS DERECHOS COMO HIJO DE DIOS

Tercero, si queremos caminar bajo el poder del Espíritu Santo, *necesitamos conocer nuestros derechos como hijos de Dios*. Necesitamos saber cómo hacer uso de los recursos inagotables del amor, sabiduría, poder, perdón y gracia de Dios.

Una de las cosas más importantes que podemos hacer para conocer nuestros derechos como hijos de Dios es pasar mucho tiempo leyendo, estudiando, memorizando y meditando en la Palabra de Dios, en oración y testificando de Él. Cuando Cristo viene a residir en nuestras vidas, nuestros cuerpos se convierten en Templos de Dios. La Palabra de Dios nos dice que toda autoridad en el cielo y en la tierra le pertenece a Cristo[7] y que en Él estamos completos[8]. Cuando tenemos a Cristo, tenemos todo lo que necesitamos. Jesús prometió un poder especial para vivir vidas santas y ser testigos eficaces para Cristo cuando somos llenos y dinamizados por Cristo[9].

Al mismo tiempo, debemos recordar que "el justo por la fe vivirá"[10]. Muchos cristianos piensan que las obras (estudio bíblico, oración y otras disciplinas espirituales) son el medio para tener una vida de fe. La realidad es que son el resultado de una vida de fe.

VIDA DE FE

Cuarto, si queremos caminar en el Espíritu Santo, *debemos vivir por fe.* Cuán triste es ver a cristianos dinámicos y sinceros, llenos de potencial, que han sido engañados por un indebido énfasis en las emociones. No conozco otra razón que haya causado tanta derrota y división entre los cristianos. No debemos vivir por sentimientos, sino por la fe. Según Hebreos 11:6 "sin fe es imposible agradar a Dios". En Gálatas 3:11, Pablo nos recuerda que "el justo por la fe vivirá".

En Romanos 8:28 encontramos una promesa de Dios con la cual la mayoría de los cristianos están de acuerdo, por lo menos intelectualmente: "y sabemos que a los que aman a Dios, todas las cosas les ayudan a bien, esto es, a los que conforme a su propósito son llamados". ¿Cree usted en esta promesa de Dios? Si es así, es lógico reconocer el porqué del siguiente mandato de Dios en 1 Tesalonicenses 5:18 "Dad gracias a Dios en todo, porque esta es la voluntad de Dios para con vosotros en Cristo Jesús".

¿Ha aprendido usted a decir "gracias, Señor" aún cuando su corazón está dolido por la partida de un ser amado? ¿Le da gracias a Dios cuando su cuerpo está quebrantado por el dolor? ¿Cuando recibe una carta que termina una relación sentimental? ¿Cuando sufre reveses financieros?

Quizás usted diga que sólo un tonto podría dar gracias a Dios bajo tales circunstancias. No, si todas las cosas ayudan a bien para aquéllos que aman a Dios. Si Dios nos ha dado la orden de dar gracias, es porque hay una razón para ello. Déjeme decirle, con la voz de la experiencia en esta área, que ésta es una de las más extraordinarias lecciones que yo haya aprendido; la lección de decir "gracias" cuando las cosas andan mal, aún cuando mi corazón está hecho pedazos, a veces en medio de las lágrimas.

¿Por qué debe un cristiano desear caminar bajo el control del Espíritu Santo momento a momento? Primero, es un mandato de Dios. Segundo, al entregar continuamente el trono de nuestra vida a Cristo, le agradaremos y honraremos; Él se deleita en tener compañerismo con sus hijos. Usted disfrutará una vida más llena, rica y emocionante con nuestro Salvador y con otros; y rebosará con el gozo del Señor cuando su vida se convierta en un fructífero testimonio para Él.

(1) San Mateo 6:24; (2) 1 Juan 5:14,15; (3) San Juan 14:21; (4) Hebreos 11:6; Romanos 14:23; (5) 1 Juan 4:4b; (6) Hechos 4:28; (7) San Mateo 28:18; (8) Colosenses 3:10; (9) Hechos 1:8; (10) Romanos 8:28.

Apéndice D

Muestra de un testimonio personal de conversión, para decirse en tres minutos

Lee Rody, autor y escritor profesional, ha compartido su testimonio personal a través de las páginas de la revista Worldwide Challenge. Este artículo es un buen ejemplo de un testimonio de tres minutos, el cual animamos a todo cristiano a escribir sobre su propia experiencia de conversión.

Como buen ex-editor de periódico, yo era un escéptico. Mi trabajo requería que siempre buscara la evidencia. No podía simplemente creer lo que alguien me contara sobre algo. Tenía que conocer los hechos, y la mejor manera que podía hacerlo era investigarlos yo mismo.

Así que estaba muy escéptico una mañana hace varios años cuando un amigo comenzó a hablarme acerca de conocer a Jesús de una manera personal. Él y yo éramos miembros de la misma denominación cristiana, ambos muy activos, pero nunca había escuchado a alguien hablar así.

Me invitó a un estudio bíblico los jueves a las 6:30 de la mañana. A medida que fui participando más, me di cuenta que había algo que hacía falta en mi vida espiritual. Me tomó un largo tiempo creer que era realmente posible tener una relación personal con Jesucristo.

Comencé a investigar cuidadosamente las vidas de las personas que profesaban tener este tipo de relación. Encontré que en verdad sus vidas habían cambiado.

Hablé con un hombre que había sido uno de los más "fiesteros" de la ciudad. Después de recibir a Cristo, regresó a casa y se deshizo de sus costosos licores.

Vi otras evidencias del cambio en su vida; Cristo comenzó a darle un espíritu de gentileza y amor.

Los hombres en nuestro estudio bíblico me amaban aunque yo era duro con ellos. Les hacía penetrantes preguntas que pudieran haberlos enojado. En lugar de eso, uno de ellos ponía su brazo en mi hombro y me decía: "te amo, hermano". Nadie nunca había hecho eso conmigo.

Estos hombres me amaban. Se sentaban a platicar conmigo. Cuando tenía problemas, me ayudaban. Así eran siempre, día con día.

Poco a poco, me fui convenciendo, aunque nunca tuve una revelación contundente. Es como nos ha pasado a mi esposa y a mí, no puedo decir cuando fue el día en que me enamoré de ella, pero hemos estado casados treinta y nueve años, y cada año nuestro matrimonio es mejor.

Creo que lo mismo es verdad de mi relación con Cristo. Mientras más fui comprendiendo, más le fui amando. Finalmente, hice un compromiso total con Él.

Sucedió un día en que estaba a solas en mi casa. Me arrodillé y entregué mi vida a Cristo. Luego le dije, "Señor, ¿qué quieres que haga con el resto de mi vida?"

No fue nada dramático, pero tuve la fuerte impresión de que yo usaría mi don espiritual de enseñanza (Efesios 4:11,12), para escribir, viajar y hablar en público.

En ese tiempo, había estado escribiendo por 38 años sin vender ninguno de los 11 libros que había completado. Mi viaje más lejano había sido a Hawaii. Nunca había dado una conferencia. Sin embargo, escribí mi compromiso y "llamado" en la contraportada de mi Biblia y comencé a caminar por fe.

Desde entonces, mi esposa y familia dicen que han visto cambios fantásticos en mi vida. Yo creo, con toda sinceridad, que es verdad. Tan sólo hablar acerca de amar Cristo es un gran cambio. Antes me sentía raro hablando de cosas como ésta.

Particularmente no amaba a nadie. Era muy centrado en mí mismo. Durante mucho tiempo no me casé porque no quería que una esposa me detuviera. Por supuesto, que esto era una tontería, pero así era yo.

Casi inmediatamente después de hacer mi compromiso con Dios, comencé a escribir algunas cosas para ser publicadas y para radio y televisión cristiana. En menos de dos años, un publicista compró uno de mis libros. Trece de ellos han sido éxitos de librería, películas, programas de televisión, selecciones de clubes de libros o ganadores de premios tales como el libro intitulado "Jesús" y "Grizzly Adams".

Mis viajes me han llevado a Europa, Asia, Canadá y México.

Un año después de mi entrega, di mi primera conferencia y luego hablé por todo mi país. He sido contratado para hablar a nivel nacional a ejecutivos de compañías "Fortune 500", a otros hombres de negocios y en universidades.

Dios continúa abriéndome puertas tanto en el campo cristiano como secular. Cada oferta que me llega la pongo a los pies de Cristo y le pregunto: "¿Tú que opinas, Señor?" Luego trabajo bajo prioridades.

No lo hago por dinero o por fama, sino porque las oportunidades son regalos de Dios. Es sorprendente darse cuenta que puedo ser escritor, orador y maestro para el Rey de Reyes; yo, quien antes era tan escéptico.

Lee Roddy
Autor/orador
19109 Swallow Way
Penn Valley, CA 95946
USA

APÉNDICE E

Recursos para evangelismo personal y discipulado

PARA LA EVANGELIZACION PERSONAL Y DE GRUPOS

¿Ha oído usted Las Cuatro Leyes Espirituales? (folleto) - por *Bill Bright*. Una de las herramientas evangelísticas más eficaces que existe. Le ayuda a hablar de su fe en Cristo con otros, es fácil de usar. Se estima que más de 2,500 millones de copias se han distribuido en los idiomas principales del mundo.

¿Le gustaría conocer a Dios personalmente? (folleto) Una nueva versión de Las Cuatro Leyes Espirituales, que presenta cuatro principios para establecer una relación personal con Dios a través de nuestro Señor Jesucristo.

¿Alguna vez has escuchado La Historia Más Maravillosa del mundo?) Lleve a los niños a Cristo con esta folleto. Contiene ilustraciones en blanco y negro. Los niños pueden usarlo para compartirlo con sus compañeros.

La Carta Van Dusen - *por Bill Bright*. Esta popular herramienta evangelística está basada en una carta auténtica que fue enviada a un prominente hombre de negocios. Enfatiza los puntos principales cuando se hace una decisión por Cristo e incluye los versículos bíblicos para tener seguridad de salvación.

Testificando sin temor - por Bill Bright. Un libro para compartir su fe con confianza, paso por paso. Es ideal para estudio individual y en grupos. Ganador del premio Medallón de Oro.

Claves para una vida dinámica. (tarjetas 3x5; paquete de 15). Un excelente recordatorio de cómo experimentar una vida gozosa, fructífera y llena del Espíritu Santo. Contiene los aspectos claves para enfrentar las tentaciones, restaurando la plenitud del Espíritu de Dios en su vida. De tamaño ideal para llevar en su bolsillo, billetera o Biblia. Úsela para dar edificación a los nuevos convertidos, repártala en su clase de escuela dominical, o regálela a amigos y familiares.

Un hombre sin igual (video). Intrigante video de 30 minutos que explora la singularidad de Jesús a través de dramáticas representaciones e impresionantes testimonios personales de los grandes maestros. Una efectiva herramienta evangelística, da a los espectadores una oportunidad de recibir a Cristo. Excelente para escuelas dominicales, reuniones de grupo o estudio personal. Este video puede usarse para comenzar un estudio de Los Cinco Pasos.

Un hombre sin igual (libro). Contiene una apreciación fresca del singular nacimiento, enseñanzas, muerte y resurrección de Jesús y de cómo Él continúa cambiando la manera en que vivimos y pensamos. Es una excelente herramienta evangelística. Los lectores tendrán la oportunidad de recibir a Cristo.

La vida sin igual. Descubra propósito, paz y poder para vivir. Una presentación de la completa libertad que el cristiano tiene en Cristo Jesús y cómo los creyentes pueden liberar el poder de la resurrección de Cristo para la vida y ministerio. Es excelente para no creyentes o cristianos que desean crecer en su vida cristiana.

PARA DISCIPULADO PERSONAL

Cinco pasos del crecimiento cristiano. - *por Bill Bright.* Enseña a los nuevos creyentes en Jesucristo, la experiencia del perdón de Dios, la plenitud del Espíritu Santo y los pasos para crecer en Cristo.

¿Ha hecho usted el maravilloso descubrimiento de la vida llena del Espíritu Santo? (folleto). - Descubra la realidad de la vida llena del Espíritu Santo y cómo vivir momento a momento en total dependencia de Él.

El Espíritu Santo: clave de una vida sobrenatural. Este libro le ayudará a vivir la vida llena del Espíritu Santo y le mostrará cómo experimentar una vida sobrenatural de poder y victoria.

El secreto. Un inspirador libro que le mostrará cómo descubrir una nueva dimensión de felicidad y gozo en su caminar cristiano y cómo utilizar el propósito, poder y dirección del Espíritu Santo.

Los Conceptos Transferibles. Son una serie de importantes herramientas que le ayudarán a experimentar y compartir la vida cristiana abundante. Estos libritos explican el "cómo lograrlo" para una vida cristiana exitosa y consistente. Úselos para su estudio personal, la edificación de nuevos convertidos y para discipular a otros.

Cómo puede usted estar seguro de ser cristiano
Cómo puede usted experimentar el amor y perdón de Dios
Cómo puede usted ser lleno del Espíritu Santo
Cómo puede usted caminar en el Espíritu Santo
Cómo puede usted ser testigo fructífero
Cómo puede usted presentar Cristo a otros
Cómo puede usted ayudar a cumplir la gran comisión
Cómo puede usted amar por fe
Cómo puede usted orar con confianza

Cómo puede usted experimentar la aventura de dar

Los diez grados básicos. Un curriculum completo para aquéllos que desean conocer los puntos básicos del crecimiento cristiano. Han sido usados por cientos de miles de cristianos en todo el mundo. Están disponibles en once vistosos cuadernos de trabajo.

Introducción: La singularidad de Jesús
Paso 1: La aventura cristiana
Paso 2: El cristiano y la vida abundante
Paso 3: El cristiano y el Espíritu Santo
Paso 4: El cristiano y la oración
Paso 5: El cristiano y la Biblia
Paso 6: El cristiano y la obediencia
Paso 7: El cristiano y la evangelización
Paso 8: El cristiano y la mayordomía
Paso 9: Explorando el Antiguo Testamento
Paso 10: Explorando el Nuevo Testamento

Manual del maestro de los diez grados básicos: Un recurso más completo para aquellos que desean dirigir un estudio bíblico. Contiene los bosquejos de los estudios, preguntas y respuestas de la guía de estudio e instrucciones para el líder sobre cómo enseñar la serie completa. Un texto fácil de usar aún para la persona más tímida e inexperta que se le pida que sea líder de grupo de estudio bíblico. (500 páginas).

En la medida que siembres - *por Bill Bright*. Un libro muy esperado y que expone los principios espirituales que gobiernan la economía de Dios. Muestra como el dar es característico del carácter de Dios y consecuentemente de aquellos que le aman.

7 Pasos para ayunar y orar con éxito - Esta guía de referencia manual ayudará a hacer su tiempo con el Señor más gratificante espiritualmente. Le explica en forma sencilla cómo practicar el ayuno, cómo orar en forma práctica y cómo seguir un plan de nutrición básico.

El avivamiento que viene - *por Bill Bright*. Un libro que anima a las personas a orar y ayunar por un avivamiento que ya está por venir y transformar el mundo. Explica en detalle cómo comenzar y finalizar su ayuno, sugiere un plan de oración práctico y ofrece un programa nutricional diario fácil de seguir.

Disponibles en su librería cristiana local o en las oficinas de Cruzada Estudiantil y Profesional para Cristo (Vida Nueva 2000) en su localidad.